Para sempre

KIM E KRICKITT
CARPENTER

Para sempre

Colaboração: Dana Wilkerson
Tradução: Ivar Panazzolo Júnior

Editora
Novo Conceito

1ª Impressão - 2012

Produção Editorial
Equipe Novo Conceito

Tradução: Ivar Panazzolo Júnior
Preparação de Texto: Equipe Novo Conceito
Revisão de Texto: Elisabete B. Pereira e Berenice Baeder
Projeto gráfico: Alberto Mateus
Diagramação: Crayon Editorial Ltda.
Capa: Equipe Novo Conceito

Este livro segue as regras da Nova Ortografia da Língua Portuguesa

Dados Internacionais de Catalogação na Publicação (CIP)
(Câmara Brasileira do Livro, SP, Brasil)

Carpenter, Kim
Para sempre / Kim e Krickitt Carpenter ; colaboração Dana Wilkerson ; [tradução Ivar Panazzolo Júnior]. – Ribeirão Preto, SP : Novo Conceito Editora, 2012.

Título original: The vow.
ISBN 978-85-8163-008-3

1. Biografia cristã - Novo México 2. Carpenter, Krickitt, 1969- - Saúde 3. Pacientes em coma - Novo México - Biografia I. Carpenter, Krickitt. II. Wilkerson, Dana. III. Título.

11-14073 CDD-616.849

Índices para catálogo sistemático:
1. Vítimas de acidente : Novo México : Biografia 616.849

Editora Novo Conceito

Rua Dr. Hugo Fortes, 1885 – Parque Industrial Lagoinha
14095-260 – Ribeirão Preto – SP
www.editoranovoconceito.com.br

Dedicatória

Por manterem nosso ciclo de vida em movimento, cheio de amor e apoio, agradecemos às nossas famílias. Sem nossos pais, irmãos, cunhados e filhos, nosso ânimo teria se enfraquecido ao longo do caminho. Aos nossos amigos que nos estimularam, apoiaram e amaram incondicionalmente, somos eternamente gratos. Aos nossos filhos Danny e LeeAnn, nos consideramos abençoados por sermos os pais de filhos tão extraordinários. Lembrem-se de sempre fazer a coisa certa, esforcem-se sempre para conseguirem o que querem e saibam que seus pais sempre os amarão e os apoiarão.

E a Deus, que continua a nos abrigar, nos brindar com suas graças e nos abençoar com a paz, e que nunca nos deu as costas, mesmo quando pecamos.

Prólogo

Dezembro de 1993

— Krickitt, você sabe onde está? — perguntou seu terapeuta, falando com uma voz tranquila.

Krickitt pensou por um momento antes de responder. — Em Phoenix.

— Isso mesmo, Krickitt. E você sabe em que ano estamos?

— 1965.

"Ela nasceu em 1969", eu pensei, sentindo um pouco de ansiedade. "É apenas um pequeno contratempo. Nada com que se preocupar", disse a mim mesmo, tentando me convencer daquelas palavras.

— Qual o nome do presidente do país, Krickitt?

— Nixon[1].

[1] Richard Nixon foi o presidente dos Estados Unidos entre 1969 e 1974. Reeleito para seu segundo mandato em 1972, renunciou ao cargo após o escândalo que ficou conhecido como Watergate. (N. T.)

"Bem, Nixon era o presidente no ano em que ela nasceu", eu justifiquei.

— Krickitt, qual é o nome da sua mãe? — continuou o terapeuta.

— Mary — disse ela, sem hesitação... e sem demonstrar qualquer emoção. "Bem, agora estamos chegando a algum lugar. Obrigado, Deus!"

— Excelente, Krickitt. E qual é o nome do seu pai?

— Gus.

— Está certo. Muito bem.

O terapeuta parou por alguns instantes antes de continuar. — Krickitt, quem é seu marido?

Krickitt me olhou com os olhos vazios, sem qualquer expressão. Ela voltou a olhar para o terapeuta, mas não lhe respondeu.

— Krickitt, quem é seu marido?

Krickitt olhou para mim novamente, e voltou o olhar para o terapeuta. Eu tinha certeza de que todos podiam ouvir meu coração batendo enquanto eu esperava, em meio ao silêncio e ao desespero, pela resposta da minha esposa.

— Não sou casada.

"Não! Meu Deus! Por favor!"

O terapeuta tentou mais uma vez. — Não, Krickitt, você é casada. Quem é o seu marido?

Ela franziu a testa. — Todd? — perguntou ela.

"Aquele ex-namorado que vivia na Califórnia? Deus, ajude-a a se lembrar!"

— Krickitt, por favor, pense com calma. Quem é o seu marido?

— Eu lhe disse. Não sou casada.

Sumário

um
O rapaz conhece a garota

— Bom dia, e obrigada por ligar para a Jammin Sportswear. Meu nome é Krickitt.

Quando telefonei para a Jammin naquela manhã de outono, em 1992, esperava ser atendido por um representante do serviço de atendimento ao consumidor com a voz carregada pelo tédio, que provavelmente preferia passar sua manhã fazendo qualquer outra coisa que não fosse atender a um telefone. Mas a pessoa que me atendeu era exatamente o oposto. Quando Krickitt disse "bom dia", parecia que ela realmente desejava que eu tivesse um bom dia. E a voz dela até mesmo se parecia com a de um grilo[1], animada e cantarolante.

[1] A palavra "grilo" em inglês é *cricket*, e é pronunciada da mesma forma que o nome da personagem Krickitt. (N. T.)

— Oi, Krickitt. Eu sou o treinador Kim Carpenter, da Universidade Highlands, no Novo México. Estou ligando para pedir algumas informações sobre as jaquetas para técnicos de beisebol que vi no seu catálogo.

Eu sempre gostei de beisebol, desde que era criança. Pensava que poderia ser o técnico de um time algum dia, assim como meu pai. Então, quando consegui meu primeiro emprego com o time do Highlands Cowboys, em Las Vegas, no Novo México[2], foi como se um sonho se realizasse. Entretanto, mesmo os sonhos têm seus momentos mais mundanos, e, sendo assim, resolvi encomendar jaquetas esportivas para mim e para os meus assistentes.

A primeira conversa com Krickitt não foi nada parecida com as que aparecem nos filmes, no entanto, enquanto discutíamos preços e cores, fiquei mais e mais interessado naquela vendedora que falava ao telefone e que tinha um nome tão incomum. Ela era tão incrivelmente agradável e atenciosa que eu não consegui evitar de pensar que meu dia ficou melhor simplesmente por ter conversado com ela.

Nossa conversa terminou, mas eu não parava de pensar naquela garota chamada Krickitt. Havia algo diferente e especial naquela voz e na personalidade dela que eu não conseguia realmente explicar. Percebi que aquele não era apenas um emprego para ela; era como se fosse uma missão. Era como se ela houvesse decidido ser a pessoa mais atenciosa e prestativa com quem seus clientes pudessem conversar, todos os dias. Se fosse assim, então, para mim, ela era um sucesso estrondoso.

Decidi ligar alguns dias depois para pedir mais algumas informações.

— Bom dia, e obrigada por ligar para a Jammin Sportswear. Meu nome é Keri.

Keri. Não era o nome que eu queria ouvir, e, rapidamente, tive que encarar que a verdadeira razão da minha ligação não tinha a ver

[2] Não confundir a cidade de Las Vegas, no estado do Novo México, onde o personagem Kim Carpenter reside, com a cidade de Las Vegas, no estado de Nevada. As duas têm o mesmo nome, mas a cidade conhecida pelos cassinos e por ser o cenário do seriado *CSI* e de filmes como *Onze Homens e Um Segredo* é a que está situada no estado de Nevada. (N. T.)

com a encomenda das jaquetas. Keri parecia ser uma mulher gentil, mas eu queria conversar com Krickitt. Eu tinha que fazer aquilo acontecer, então pensei rapidamente.

— Oi, Keri. Eu queria algumas informações sobre um produto. Eu havia conversado com a Krickitt.

— Só um momento.

Senti meu coração acelerar enquanto aguardava.

— Oi, aqui é Krickitt. Posso ajudá-lo?

— Oi, Krickitt. Sou o treinador Carpenter da Universidade Highlands. Liguei para pedir informações sobre uma jaqueta há alguns dias.

Enquanto Krickitt pesquisava as informações em seu computador, tive alguns segundos para pensar. O que havia naquela pessoa chamada Krickitt que, de repente, fizera com que eu me sentisse como um adolescente nervoso e apaixonado? Ela era apenas uma vendedora fazendo seu serviço, e estava na Califórnia, não no Novo México, onde eu morava. Afastei aqueles pensamentos enquanto pedia a ela que me enviasse algumas amostras de cores antes de terminar a conversa.

Quando as amostras chegaram, eu as espalhei sobre uma mesa. Meus pensamentos começaram a disparar em direções inesperadas. "Será que foi ela mesma quem escolheu estas cores? Será que ela segurou estas amostras em suas mãos? Opa, espere aí! Acalme-se!"

Eu não conseguia entender o que estava acontecendo comigo, ou por que aquilo estava acontecendo. Eu era um adulto, afinal de contas!

Afastei aqueles pensamentos da minha mente, embora estivesse estranhamente ansioso para conversar, ao telefone, com uma certa vendedora, ao ligar, novamente, para formalizar a encomenda de uma jaqueta nas cores roxo e cinza.

— Bom dia, e obrigada por ligar para a Jammin Sportswear. Meu nome é Krickitt.

Sucesso!

— Oi, Krickitt. Aqui é o treinador Carpenter. Eu...

— Treinador Carpenter! — interrompeu ela, com uma sensação de alegria que me surpreendeu, pois ela sabia que eu iria encomendar apenas uma jaqueta com ela. — É ótimo voltar a falar com você.

Comecei a imaginar o que haveria de "ótimo" na ligação. Seria a possibilidade de concluir outra venda, ou seria realmente por minha causa? Tentei determinar se havia algo mais do que uma afabilidade profissional no som daquela voz que eu não conseguia tirar da cabeça. Encomendei a jaqueta normalmente. Depois, encomendei outra, de um modelo diferente. Quando chegou, a peça ficou tão popular entre os outros treinadores das equipes esportivas da universidade que todos queriam uma igual, e eu voltei a ligar para encomendar outras.

Alguns meses se passaram desde aquela primeira conversa com a minha vendedora favorita, e, agora, nós passávamos muito mais tempo simplesmente conversando um com o outro do que realmente realizando transações de negócios. Até que, certo dia, logo antes de encerrarmos a ligação, Krickitt mencionou que não trabalharia no dia em que eu planejava ligar para verificar um pedido, e me deu o número do telefone da sua casa.

Depois daquilo, comecei a ligar para Krickitt em seu apartamento, e, depois de pouco tempo, paramos de fingir que as ligações eram a respeito de roupas esportivas. Passávamos o tempo nos conhecendo melhor e, frequentemente, conversávamos por mais de uma hora. Independentemente de quanto tempo passássemos conversando, nós nunca queríamos desligar, mesmo quando a minha conta de telefone passava de quase nada para 500 dólares ao mês. Naquela época não havia *e-mail* nem mensagens de texto, e poucas pessoas tinham telefone celular. Krickitt e eu estávamos presos a telefones fixos, mas eu não me importava com a inconveniência ou as despesas. Poder falar com ela fazia tudo valer a pena.

Eu finalmente descobri a história por trás daquele nome tão incomum, Krickitt. Seu nome verdadeiro era Krisxan (cuja pronúncia era "Kris-Ann"), um nome que refletia sua ascendência grega. O apelido Krickitt surgiu quando sua tia-avó disse que Krisxan, então com dois anos, não conseguia parar quieta, e ficava correndo e pulando por toda parte como um grilo. Portanto não me surpreendia saber que Krickitt era atlética e cheia de energia.

Além disso, seu pai havia trabalhado como técnico de times de basquete e beisebol em escolas de ensino médio e sua mãe era treinadora de ginastas, um interesse que Krickitt desenvolveu quando criança, logo que conseguiu subir e descer sozinha de uma trave de equilíbrio. Na verdade, ela aprendeu a dar uma pirueta para trás apoiada em uma só mão antes de aprender a escrever seu próprio nome.

Eu achava que era fanático por esportes, mas, comparado a Krickitt, não sabia quase nada sobre o assunto. Ela praticava ginástica desde o jardim de infância, todos os dias, na academia de sua mãe, e treinava cinco horas por dia durante o verão. Aos 16 anos, rompeu o manguito rotador, um músculo em seu ombro direito, e o cirurgião ortopédico que cuidou dela lhe disse que uma cirurgia provavelmente acabaria com qualquer chance de obter uma bolsa de estudos dessas que as faculdades concediam aos melhores atletas. Assim, ela se resignou e continuou treinando, com ótimos resultados em exercícios de solo e na trave de equilíbrio. Não deixou que um pouco de dor a impedisse de conquistar seus sonhos.

Ninguém se espantou quando Krickitt recebeu ofertas de bolsas de estudo de várias universidades com programas respeitáveis na área de ginástica. Ela acabou se decidindo pela Universidade Estadual da Califórnia em Fullerton, que havia lhe oferecido uma bolsa integral para participar da equipe de ginástica. Ela ganhou duas vezes o campeonato acadêmico americano enquanto esteve lá, antes de desistir das competições, quando rompeu o ligamento cruzado anterior, durante o último ano do curso.

Embora muitas das nossas primeiras conversas fossem sobre esportes, Krickitt não perdeu tempo e logo mencionou a parte espiritual do nosso relacionamento. Depois de alguns meses de amizade, ela escreveu isto: "Você disse que eu posso perguntar qualquer coisa a você, então preciso ser honesta, Kimmer. Tenho muita fé, quero dizer, a fé e o cristianismo são importantes para mim. Não me vejo tendo um relacionamento de verdade com uma pessoa que não crê".

Sua fé era sua vida, e, independentemente do que ela pensasse a meu respeito, ela tinha que esclarecer suas dúvidas sobre minha vida espiritual antes que pudéssemos ter qualquer tipo de relacionamento. Enquanto conversávamos sobre aquela parte de nossas vidas, descobrimos que éramos ambos cristãos, mas nossas jornadas espirituais haviam seguido rumos diferentes.

Eu tinha 14 anos quando percebi que podia ser cristão e, ainda assim, ser um garoto normal. Fiquei tão contente com isso que mal consegui esperar até voltar para casa e contar para meus pais. Entretanto, quando comecei a lhes contar o que eu sentia, eles não acharam nada encantador.

Meus pais costumavam ir à igreja de vez em quando, mas não acho que eles chegassem a sentir algo parecido com o que eu sentia naquele momento. Nunca fomos à missa regularmente, embora nossa avó Helen nos levasse sempre que podia. Em família, nunca falamos sobre religião.

Krickitt entendeu o cristianismo ao ler um livrinho chamado *As Quatro Leis Espirituais*. A mensagem deixou-a alegre e curiosa, e ela decidiu, naquele momento, que dedicaria sua vida àqueles princípios. Mas ninguém podia prever que, naquele dia, Krickitt tomaria a decisão que a guiaria pelo resto da vida. Naquela época, ela nem mesmo sabia o que aquela escolha representaria para sua vida. Ela não contou a ninguém sobre sua decisão e não correu atrás de qualquer programa da igreja naquela época. Foi só quando começou a faculdade que, finalmente, envolveu-se com uma igreja e com seu pastor: o pastor Steve McCracken.

No verão de 1991, Steve organizou e conduziu uma missão à Hungria. Como Krickitt havia acabado de estourar o joelho, estava com bastante tempo livre. Quando ouviu a respeito da viagem, percebeu que aquela era uma oportunidade de usar todo o tempo e a energia que sempre havia dedicado à ginástica com alguma outra atividade. Assim, ela e sua amiga (que, posteriormente, veio a se tornar sua colega de quarto) Megan Almquist aceitaram o desafio de se tornar missionárias durante nove semanas no verão daquele ano. Ser cristã era o centro da sua vida. E, honestamente, adorei aquilo nela.

Minhas conversas com Krickitt ficaram cada vez mais longas e envolventes. Também começamos a nos corresponder por meio de cartas. Elas eram como os telefonemas — mandávamos cartões com mensagens curtas no início, mas não demorou muito até que cada uma das cartas de Krickitt chegasse a dez páginas. Nem consigo imaginar o número de *e-mails* que teríamos trocado se essa opção existisse naquela época.

Como acontece em qualquer início de relacionamento, não demorou até tocarmos no assunto de enviarmos nossos retratos um para o outro, e, no começo da primavera[3] de 1993, decidimos que havia chegado a hora de dar aquele passo. Não havia a possibilidade de enviarmos fotos apenas com um clique do *mouse* naquela época. Assim, estávamos ambos em meio a um processo longo e desgastante de esperar que o carteiro chegasse, dia após dia. Enviei um livreto com informações e fotos do time dos Highlands Cowboys para Krickitt, onde minha foto aparecia. Depois, esperei impacientemente por uma foto que daria um rosto à garota maravilhosa que eu vim a conhecer tão bem nos últimos meses. Tentei me convencer de que estava interessado apenas no coração e no espírito dela; mas, ao mesmo tempo, imaginei que as coisas ficariam ainda melhores se ela fosse bonita.

Quando o envelope de Krickitt chegou, alguns dias depois, eu o abri apressadamente e olhei pela primeira vez para uma mulher com cabelos escuros, olhos azuis reluzentes e um sorriso fantástico. Achei que ela era muito bonita.

[3] Nos países do hemisfério norte, a primavera começa no mês de março. (N. T.)

Entretanto, era óbvio que havia outra pessoa na foto, pois eu percebi um braço ao redor dos ombros de Krickitt. Quem estaria na foto que ela havia recortado? Seria um namorado? Ou outro "amigo especial" como eu? Senti uma dor no coração ao considerar aquela opção. "Vá com calma, cara", foi o que disse a mim mesmo. "Você está indo com muita sede ao pote".

Eu estava louco para telefonar para Krickitt para saber se ela também havia recebido a minha foto naquele dia, mas estava um pouco nervoso sobre a resposta que ela poderia me dar. Naquela noite eu liguei para perguntar.

— Recebi! — disse ela. Eu não quis perguntar o que ela havia achado da foto, então apenas esperei até que ela dissesse: — Sabe, eu cheguei a pensar... "até que esse moço é bonitinho".

Nós dois rimos. Eu tinha medo de que aquela conversa fosse tensa e desconfortável, mas, felizmente, não foi.

Mencionei que havia percebido o recorte em sua foto, de modo que alguém ficasse de fora. — Cortei, sim — respondeu ela. Novamente esperei, ainda com medo do que poderia ouvir. — Cortei minhas amigas para fora da foto porque elas são bonitas!

Nós dois sabíamos qual seria o próximo passo: um encontro em pessoa. Este seria um passo importante em nosso relacionamento. Afinal de contas, como você sabe que está verdadeiramente ligado a alguém antes que passe algum tempo fisicamente junto dessa pessoa? Assim, em fevereiro de 1993, Krickitt e eu começamos a conversar sobre a possibilidade de um encontro e de passarmos algum tempo juntos, embora qualquer viagem tivesse que ser curta devido às nossas rotinas no trabalho. Naquela época, já estávamos conversando por quase cinco horas por semana, e imaginei que uma passagem de avião não custaria muito mais do que eu já estava gastando com a conta de telefone. Assim, perguntei à Krickitt se ela gostaria de vir a Las Vegas para ver o meu time disputar algumas partidas. Ela disse que não sabia. Antes de decidir, teria que pensar a respeito.

E assim, ela pensou e, disse ela, que rezou. Anos mais tarde, quando Krickitt permitiu que eu lesse seu diário, com as notas que escrevera naquela época, vi que ela realmente havia feito aquilo. Uma das entradas dizia: "Ai Deus, preciso muito da sua sabedoria e orientaçao para me guiar com relação a Kimmer. Uma parte de mim quer se encontrar com ele, acho que vai ser bem divertido. Outra parte não quer, porque não desejo começar a nutrir sentimentos por ele se esse relacionamento não for algo bom, isto é, uma coisa que me deixe feliz. Se for uma coisa boa, por favor, me dê um sinal e me ajude a fazer as coisas direito."

Após algum tempo, Krickitt me explicou sobre suas preocupações em uma longa carta. Em resumo, ela queria ter certeza de que nenhum de nós tinha expectativas fora da realidade em relação ao encontro. Sua outra preocupação era a de não querer me prejudicar, porque como treinador esportivo, e modelo de conduta a ser seguido pelos atletas, eu tinha muito a perder se a situação parecesse diferente do que realmente era: dois amigos que se encontravam.

Após dois meses conversando sobre o assunto, Krickitt tomou a decisão de vir ao Novo México para que, finalmente, pudéssemos nos conhecer em pessoa. Ao me preparar para a chegada dela, reservei um quarto de hotel nas proximidades do meu apartamento. Imaginava que Krickitt estivesse se guardando para seu futuro marido, mas minha situação era diferente: eu teria que ser honesto com ela a respeito do meu passado. Eu também sabia o quanto isso seria importante para ela. Dirigi durante duas horas até chegar ao aeroporto de Albuquerque, onde iria recebê-la. Naqueles dias anteriores aos ataques de 11 de setembro não havia restrições impedindo as pessoas de passarem pelas áreas de segurança, então consegui encontrá-la já no portão de desembarque. Eu a vi assim que ela desembarcou do avião; já havia visto a foto dela e, assim, sabia por quem devia procurar, mas acho que poderia tê-la identificado bem no meio de uma multidão, mesmo que não soubesse nada sobre sua aparência. Eu sentia que tínhamos muita coisa em comum, e que já tínhamos uma amizade maravilhosa.

Embora soubesse que ela era muito atraente, quando finalmente a vi pessoalmente, mal pude acreditar no quanto ela era bonita. Depois de todas aquelas horas ao telefone, eu finalmente tinha uma pessoa viva real para associar àquela voz encantadora.

Quando, finalmente, não tínhamos mais que nos preocupar com os valores astronômicos da conta de telefone, conversamos quase sem parar durante todo o fim de semana. Naquela primeira noite, conversamos sobre tudo: nossa infância, nossas famílias, nossos empregos, nossos amigos e a nossa incrível amizade a distância. E conversamos sobre fé também.

Depois de tantas horas, nós dois paramos para recuperar o fôlego. Em meio ao silêncio, Krickitt olhou pela janela. Vi o espanto em seu rosto quando ela apontou para algo do lado de fora. Virei-me para olhar e percebi que o sol já havia nascido. Nós havíamos conversado a noite inteira sem perceber.

No dia seguinte, Krickitt assistiu aos dois jogos dos Cowboys, e o time perdeu ambos por uma diferença mínima e à noite, após os jogos, voltamos a conversar. Eu não estava muito feliz com os resultados das partidas, e, além disso, minha mãe tinha estado doente. Contei a Krickitt sobre minha mãe e abri meu coração de uma maneira que nunca havia feito com qualquer outra pessoa. Fiquei maravilhado por ela ter me entendido e simpatizado com a minha dor e, naquele momento, soube que isso era algo especial. Ela queria conhecer os meus medos e minhas dificuldades, e eu queria descobrir as mesmas coisas em relação a ela.

— A vida não é justa; é apenas a vida — disse ela, de maneira suave e confiante. — Todos têm momentos em que sentem como se estivessem à deriva, abandonados mesmo... Mas não é verdade. Não para quem tem fé.

Em algum momento, no meio da noite, nós dois acabamos dormindo no sofá. No dia seguinte, Krickitt voltou para a Califórnia... e eu tive dificuldades para me manter acordado enquanto orientava os jogadores que passavam pela terceira base.

Mais tarde, fiquei sabendo que, quando sua colega de quarto, Lisa, a deixara no aeroporto antes de viajar, ela disse a Krickitt que se sentia como se estivesse se despedindo definitivamente da amiga. Depois, quando Lisa veio buscá-la no aeroporto, ficou óbvio para ela que era apenas uma questão de tempo até que Krickitt saísse do apartamento que dividiam.

Não há dúvida de que nós dois tínhamos amigos que sussurravam sobre o fim de semana que passamos juntos, especialmente porque Krickitt nem chegou a dormir no quarto de hotel que eu havia lhe reservado. Mas nós dois sabíamos que nada havia acontecido naquele fim de semana, e que poderíamos fazer um relato completo para as nossas mães, se assim quiséssemos. O tempo em que estivemos juntos foi incrível, divertido e maravilhoso, e, mesmo assim, nem cheguei a beijá-la durante todo o fim de semana. Acredite se quiser, não cheguei nem mesmo a tentar. Não era o objetivo do fim de semana.

Quando abri a minha caixa de correio dois dias depois de Krickitt ter partido, encontrei um cartão de agradecimento. Era tão bonito que senti, ainda mais, a falta dela. Fiquei emocionado com a maneira como ela escrevia. Ela tinha muita convicção do que sentia, e meus próprios sentimentos eram um espelho daquilo que ela descreveu. Eis o que ela escreveu:

> KIMMO,
> Pensei bastante sobre o fim de semana, e foi um momento cheio de risos e lágrimas — verdadeiramente maravilhoso. Nunca imaginei que seríamos tão compatíveis quando estivéssemos juntos. Gostei muito de conhecê-lo melhor no fim de semana que passou. Foi muito especial enxergar quem é o verdadeiro Kim Carpenter. Você tem um coração que, na minha opinião, é lindo. Sua gentileza, seu carinho, humildade e singularidade me encantaram por completo. A maneira com que você se abriu e confiou em mim para mostrar a pessoa que verdadeiramente é, e me contar as coisas pelas quais passou, significam muito para mim.

Além disso, também fiquei encantada com algumas coisas que conversamos. Rezei muito pelo nosso fim de semana juntos, pedindo que ficássemos bem, um com o outro, e que tivéssemos conversas agradáveis e construtivas. Bem, acho que deu certo, não foi? Tenho muitas perguntas a respeito de nós. Estou curiosa para saber o que vai acontecer conosco. Estou pronta para prosseguir com este relacionamento e ver aonde as coisas vão nos levar. Acho que podemos dar um passo adiante. Tenho medo, mas o risco faz parte do amor. Obrigada por me tratar com tanta gentileza e por fazer com que eu me sentisse tão especial e adorada.

Kim Carpenter, eu o adoro e o estimo muito.

Com todo o meu amor,
KRICKITT.

Na semana seguinte após Krickitt ter voltado para casa, conversamos todos os dias ao telefone. E, mesmo assim, nunca era o bastante. No fim de semana eu teria alguns dias de folga, e Krickitt rapidamente aceitou meu convite para fazer outra visita. Passamos o tempo todo conversando, caminhando em uma trilha e passeando de carro pelas montanhas.

Eu teria que viajar para San Diego algumas semanas depois, para recrutar novos jogadores para o time, e não resisti à possibilidade de combinar aquilo com uma visita a Krickitt em Anaheim. Enquanto eu estava lá, ela me apresentou a seus pais, seu irmão e sua cunhada, e a alguns de seus amigos. Eles foram extremamente gentis e receptivos; seu pai, Gus, e eu nos demos bem desde o primeiro momento em que conversamos. Aquilo não chegava a surpreender, pois nossa ligação com o beisebol criou uma amizade instantânea.

Fui à igreja com Krickitt e conheci o pastor Charles Swindoll, que era um pregador incrível. Quanto mais compreendia a fé de Krickitt, mais a compreendia, e vice-versa.

Retornei à Califórnia no final de maio, mas não sem apreensão. Krickitt e eu tínhamos algumas perguntas sérias a responder. Os sentimentos que nutríamos um pelo outro eram obviamente profundos e genuínos, mas será que estaríamos verdadeiramente apaixonados de uma forma que nos levaria ao casamento? Eu sentia muito amor por ela, mas queria amá-la por todas as razões certas, e com todas as intenções corretas também.

Saímos para jantar e, depois, caminhamos na praia, na região de Del Mar. Não foi nada parecido com as nossas interações costumeiras, quando falávamos sobre toda e qualquer coisa durante horas. A conversa na praia foi pontuada por longos períodos de silêncio. Sabíamos a importância que aquela conversa tinha, e que cada palavra era especial e importante.

Não havia dúvida de que teríamos que tomar uma decisão sobre o futuro de nosso relacionamento. Não conseguia imaginar a possibilidade de não ter Krickitt em minha vida a partir daquele momento, e esperava que ela sentisse o mesmo em relação a mim. Mas tínhamos empregos e famílias que estavam a centenas de quilômetros de distância uns dos outros. Fazia apenas oito semanas que havíamos nos encontrado pessoalmente pela primeira vez. Será que já tínhamos certeza de que estávamos prontos para passar o resto de nossas vidas juntos?

Houve momentos naquela noite em que pensei que teríamos que dar um fim em nosso relacionamento. Não podia ficar do jeito que estava. Poderíamos progredir, ou poderíamos acabar com tudo. Seria melhor nos separarmos agora, antes que a relação se aprofundasse demais ou será que já era tarde demais para fazer isso? Será que um de nós devia mudar de cidade? Krickitt devia pedir demissão? Ou eu é que devia me demitir? Tínhamos que decidir, mas levamos um bom tempo para conversar sobre todos os aspectos enquanto caminhávamos de mãos dadas pela praia. Não tardou muito e um de nós mencionou a possibilidade de casamento, mas não de uma maneira animada ou carregada pela emoção. Estranhamente, o assunto foi citado de maneira tranquila, como se fosse um dos resultados possíveis e lógicos de nosso relacionamento. Nós dois concordamos que queríamos que o relacionamento tomasse aquele rumo. Mas, embora decidíssemos que era aquilo que queríamos, o assunto ainda não estava concluído. Krickitt me disse que eu teria que conversar com seu pai e pedi-la em casamento.

Naquela época, o senhor e a senhora Pappas estavam em Omaha, no estado de Nebraska, para assistir ao campeonato mundial de beisebol universitário. Eu não queria ter que esperar até que eles voltassem para casa, então telefonei para o hotel em que estavam hospedados. Embora já conhecesse os pais de Krickitt e tivéssemos um relacionamento amigável, eu estava bastante nervoso a respeito daquela conversa importante, igual a qualquer homem nessa situação.

Quando Gus atendeu ao telefone, conversamos sobre algumas trivialidades e depois falamos sobre beisebol durante alguns minutos. Finalmente, respirei fundo e cheguei ao propósito real daquela ligação.

— Krickitt e eu estamos nos dando muito bem. Quero pedir a ela que se case comigo. Entretanto, ela me disse que eu teria que falar com você primeiro.

— Ela disse isso mesmo?

— Sim, senhor.

— Kim, ficaríamos honrados em tê-lo como nosso genro.

Eu estava determinado a fazer com que o pedido fosse o mais criativo possível. Depois de comprar um anel de diamantes, liguei para Megan e Lisa, as garotas que dividiam o apartamento com Krickitt, para me ajudarem a preparar o cenário para a minha visita. O apartamento tinha um portão de segurança, e meu plano era fazer com que uma das outras garotas atendesse ao interfone de modo que eu pudesse fazer uma surpresa para Krickitt. Elas ficaram felizes em participar do plano, e me ajudaram a entrar no prédio sem que Krickitt descobrisse. Vesti um terno e uma gravata, apesar da minha aversão habitual a trajes formais e, sob a janela, comecei a gritar o nome de Krickitt.

Ela logo apareceu na sacada, uma Julieta moderna usando *short* e um par de tênis. Eu trazia flores, um urso de pelúcia com balões amarrados e o estojo onde o anel estava guardado. Aquela visão incomum a deixou sem palavras, mas apenas por um instante.

— O que você está fazendo aqui? — gritou ela, da sacada.

— Bem... você aceita? — gritei de volta.

Meu coração se apertou quando ela desapareceu da sacada, mas demorou apenas um segundo até que conseguisse vê-la correndo pelas escadas para vir até onde eu estava.

— Aceito o quê? — perguntou ela, cheia de expectativa.

Coloquei um dos joelhos no chão, olhei-a nos olhos e fiz a pergunta mais importante da minha vida.

— Aceita ser minha companheira para o resto da vida? Krisxan, você quer se casar comigo?

Krickitt respirou fundo e disse as palavras que eu sabia que viriam, mas que estava ansioso para ouvir. — Sim, eu aceito.

Depois de nos abraçarmos, nós nos afastamos um do outro. Depois de uma breve pausa, perguntamos:

— E agora, o que fazemos?

Minha ideia original era de nos casarmos na primavera do ano seguinte. Krickitt admitiu que não queria esperar tanto. Concordei com a ideia dela e, assim, propus uma data mais próxima: no Natal daquele ano. Mas, para ela, ainda estava muito distante. Assim, escolhemos 18 de setembro, em pouco menos de três meses, como o dia em que nos tornaríamos marido e mulher.

Voltei a Las Vegas com o objetivo de preparar o apartamento para a minha futura esposa, e Krickitt entrou de cabeça nos planos para o casamento. Ela começou a organizar as coisas ainda em Anaheim para que a cerimônia acontecesse perto de Phoenix, no estado do Arizona, na igreja Bíblica de Scottsdale.

Assim, em 18 de setembro de 1993, uma noite perfeita de fim de verão, no deserto do Arizona, eu estava no altar em frente a um público de mais de uma centena de amigos, familiares e convidados, segurando a mão de Krickitt. E fiz meus votos:

— Krisxan, passei a amá-la muito desde que a conheci. Agradeço a você por me amar dessa maneira tão bela e especial. Prometo amá-la e respeitá-la completamente. Prometo sustentá-la e protegê-la em tempos de necessidade e dificuldade. Prometo ser fiel, honesto e aberto; devotar-me a cada uma de suas necessidades e desejos. Acima de tudo, prometo ser o homem por quem você se apaixonou. Eu amo você.

A resposta de Krickitt encheu meu coração de amor e graça.

— Kimmer, eu amo você. O dia de hoje finalmente chegou; o dia em que lhe darei minha mão em casamento. Prometo lhe ser fiel, amá-lo em tempos bons e em tempos difíceis, e estar igualmente pronta para escutá-lo quando você precisar compartilhar algo comigo. Prometo ser aberta, honesta e digna de sua confiança, e prometo apoiá-lo todos os dias. Eu me sinto honrada em ser sua esposa. Sou toda sua, Kimmer. E eu amo você.

Depois de fazermos nossos votos, o pastor pediu que meu padrinho de casamento, Mike Kloeppel, trouxesse as alianças. Mike colocou a mão por dentro de seu paletó, mas, em vez de tirar as alianças, tirou de lá uma luva preta de beisebol, novinha e recém-engraxada, de modo que brilhasse. Mike me entregou a luva. Eu a coloquei na mão e fiz um sinal para o pai de Krickitt, que abriu um grande sorriso, ficou em pé e arremessou uma bola de beisebol para que eu a apanhasse. Peguei a bola ainda no ar, joguei a luva por cima do ombro para Mike e removi um pedaço de fita adesiva que estava na bola. Dentro da bola estava a aliança de Krickitt. Como foi o amor pelo esporte que fez com que nos conhecêssemos, achei que aquilo seria apropriado para marcar nosso interesse comum de uma forma inesquecível.

A recém-casada senhora Kim Carpenter e eu fomos, em lua de mel, para Maui[4], e quando retornamos passamos a morar em Las Vegas, no Novo México, logo no início do ano letivo[5]. Eu comecei a trabalhar com o meu time de beisebol, e Krickitt entrou de cabeça em sua nova vida, com o mesmo entusiasmo, espírito e fé que a haviam transformado em uma excelente vendedora. Eu tive a vantagem de

[4] Uma das ilhas que compõem o arquipélago do Havaí. (N. T.)

[5] Nos Estados Unidos, o ano letivo começa em meados de setembro e termina no final do mês de junho do ano seguinte. (N. T.)

continuar a morar na mesma cidade e ter o mesmo emprego, mas minha nova esposa teve que começar do zero em um ambiente totalmente novo. Aquilo não foi um problema para ela. Não demorou até que se tornasse a especialista em estatística do time, coordenadora em caráter informal dos lanches preparados para o time, durante os jogos contra equipes de outras universidades, e voluntária para qualquer tarefa em que sua presença fosse necessária.

Krickitt também assumiu o cargo de técnica em exercícios no Centro para Saúde e Boa Forma do Hospital Regional da região nordeste do estado, instalado no *campus* da própria universidade Highlands do Novo México, onde ela preparava programas de exercícios para ajudar as pessoas a alcançarem seus objetivos individuais de preparo físico. Seu jeito amistoso e sua experiência com ginástica olímpica fizeram com que ela se tornasse um sucesso instantâneo com os outros funcionários do setor e com os clientes.

Decidimos que o Dia de Ação de Graças[6] seria uma época perfeita para fazermos nossa primeira visita depois de casados aos pais dela, em Phoenix. Na terça-feira da semana do Dia de Ação de Graças, antes de sairmos de viagem, Krickitt e eu jantamos e depois ficamos abraçados no sofá para assistir à TV. Eu estava com o meu braço ao redor dela, e ela apoiava sua cabeça no meu peito. Sem qualquer aviso, ela olhou para mim e perguntou: — Você está feliz, Kimmer?

Não consegui resistir ao desejo de beijá-la antes de responder. — Não consigo imaginar como poderia estar mais feliz.

E a beijei mais uma vez.

[6] Feriado nacional nos Estados Unidos, caracterizado pela reunião das famílias e dos membros que estão distantes. É celebrado na última quinta-feira do mês de novembro. (N. T.)

dois

Num piscar de olhos

Desviei o olhar do carro e procurei em volta, tentando encontrar a mulher que havia se tornado minha esposa há menos de dez semanas, ao mesmo tempo buscava descobrir uma maneira de colocar bagagens em quantidade suficiente para o nosso primeiro fim de semana de Ação de Graças com os pais de Krickitt e ainda assim ter espaço para nós dois, além de um dos membros da equipe de treinadores que iria pegar uma carona conosco até o aeroporto de Phoenix.

— Ei, Krick. Você vai ficar aí dentro o dia inteiro? — gritei em direção à porta aberta de nosso apartamento.

— Estou aqui — anunciou Krickitt, aparecendo sob o batente da porta. Ela praticamente pulava pela calçada em minha direção, assim como o inseto com o qual sua tia a havia comparado anos atrás. Não consegui desviar os olhos dela enquanto vinha até onde eu estava.

— Eu amo você, Kimmer — disse ela ao se aproximar, repentinamente ficando imóvel, algo que era bastante incomum para ela.

— Eu amo você, Krickitt — respondi. Enquanto Krickitt forçava mais algumas bagagens para dentro do porta-malas, voltei para o apartamento, querendo dar uma última olhada para ver se havíamos deixado algo para trás. Em seguida, tranquei a porta.

Enquanto eu ia em direção ao carro, pensei por alguns momentos nas coisas maravilhosas que Deus havia me dado durante os últimos anos, em particular um novo emprego e uma nova esposa. Não conseguia acreditar que dois meses já haviam se passado desde que eu e Krickitt saímos em lua de mel, desfrutando das areias quentes e do paraíso tropical do Havaí. Agora, estávamos nos aproximando do feriado do dia de Ação de Graças, e o Natal não tardaria a chegar. O tempo estava passando rápido demais. Eu queria aproveitar cada dia, e estava ansioso para começar a observar algumas tradições familiares com minha esposa, começando com a celebração do nosso primeiro feriado importante juntos.

— Ei, Kimmer, você vai ficar aí fora o dia todo?

Krickitt tentou ficar séria, mas não conseguiu fazer aquilo por muito tempo e logo abriu um imenso sorriso. Nós rimos enquanto eu sentava no banco do motorista. Dei a partida no carro, saí do estacionamento e entrei no meio do trânsito do feriado.

Teríamos uma longa viagem pela frente, mas, depois de sair de nossa cidade no Novo México, o trajeto seria relativamente tranquilo. Viajaríamos o tempo todo nas rodovias interestaduais e passaríamos pelas cidades de Santa Fé, Albuquerque e Flagstaff, finalmente chegando ao nosso destino em Phoenix[7]. Originalmente, havíamos planejado sair durante a manhã para chegar à casa dos Pappas antes que escurecesse, mas nosso passageiro não conseguiria sair do trabalho antes da hora do almoço. Quando o pegamos e nos dirigimos para o sudoeste, na rodovia I-25, já passava das 14 horas. Chegaríamos

[7] A distância entre Las Vegas, no Novo México, e Phoenix, no Arizona, de acordo com o percurso descrito pelo personagem Kim, é de aproximadamente 950 quilômetros. (N. T.)

à casa dos meus sogros perto da meia-noite, mas Krickitt e eu não nos importávamos. Era o nosso primeiro feriado oficial como marido e mulher, e nada mais importava, desde que estivéssemos juntos.

Passamos por Santa Fé e Albuquerque, mas logo depois de entrarmos na rodovia I-40 em direção à divisa com o Arizona, comecei a sentir que ficaria resfriado. Tentei ignorar a sensação, pois ainda tínhamos um bom caminho pela frente, mas Krickitt percebeu que havia algo errado. Ela me perguntou se eu estava bem. Eu lhe disse que não estava me sentindo muito bem, mas que estaria melhor em alguns minutos.

Mas não melhorei em alguns minutos. Na verdade, fiquei pior. Quando Krickitt disse que deveríamos parar em algum lugar para comprar algum medicamento, eu não estava em condições de discutir com ela. Assim, fizemos uma rápida parada para comprar o que eu precisava.

— Acho que eu deveria dirigir por algum tempo — sugeriu Krickitt.
— Não me importo. Você pode se deitar no banco de trás e descansar.

Eu estava me sentindo horrível, então não vi motivo para negar aquela oferta. — Vai ser ótimo — eu disse com um suspiro, antes de acrescentar: — Não era assim que eu planejava impressionar meus sogros em nosso feriado prolongado com eles.

Krickitt olhou para mim com seu tradicional sorriso no rosto; eu lhe devolvi o melhor sorriso que consegui esboçar, mas não havia como comparar. Ela assumiu o volante com nosso passageiro ao seu lado enquanto eu tentava me deitar no banco de trás. Nosso carro era novo, mas não fora feito para permitir que um homem adulto se deitasse no banco de trás. Entretanto, buscando o conforto e ignorando a segurança, percebi que poderia dobrar o encosto do banco traseiro e esticar as minhas pernas para dentro do porta-malas. Fiz o melhor que pude para encontrar uma posição confortável enquanto esperava que o remédio fizesse efeito.

Logo depois das 18 horas, passamos por Gallup, a última cidade grande antes da fronteira entre o Novo México e o Arizona. A noite estava se aproximando rapidamente, e Krickitt ligou os faróis do carro. Eu, finalmente, consegui encontrar uma posição razoavelmente confortável e caí no sono, com a minha cabeça encostada nas costas do assento do motorista e minhas pernas em direção à traseira do carro. Repentinamente, acordei com um grito agudo de "Cuidado!" enquanto o carro desacelerava rapidamente e fazia uma curva forte à esquerda. Levantei-me bem a tempo de sentir o impacto me arremessar contra o encosto do banco de Krickitt. Como minha cabeça havia deslizado do encosto do banco em direção à porta do motorista, olhei para o espelho retrovisor preso à porta e consegui enxergar faróis se aproximando rapidamente de nós, ficando cada vez maiores, até encherem completamente o espelho em uma fração de segundo.

Minha esposa deu um grito horripilante.

O relatório do policial rodoviário disse que, por volta das 18h30 do dia 24 de novembro de 1993, a oito quilômetros da divisa entre o Novo México e o Arizona, um *sedan* branco envolveu-se em uma colisão com um caminhão e uma caminhonete. Investigações posteriores revelaram que um caminhão vermelho, com um carregamento de peças automotivas, começou a ter problemas no motor enquanto viajava pela I-40 na direção oeste. Consequentemente, o motorista diminuiu a velocidade para 40 quilômetros por hora, na faixa da direita. Viajando na velocidade normal para uma rodovia interestadual, Krickitt chegou por trás do caminhão, que estava oculto em uma nuvem de fumaça preta produzida por um filtro de combustível defeituoso. Durante o dia, seria possível enxergar a fumaça, mas, como a noite havia chegado, Krickitt não conseguiu ver o caminhão a distância.

Embora as luzes de emergência do caminhão não estivessem ligadas, Krickitt acabou percebendo luzes traseiras movendo-se lentamente em meio à fumaça do escapamento. Ela pisou no freio com força e virou o volante para a esquerda. Ao mesmo tempo, uma caminhonete que estava vindo logo atrás chocou-se conosco.

O canto direito do para-choque do nosso carro bateu no canto traseiro esquerdo do caminhão. Então, quando o carro começou a girar e Krickitt lutava para manter o controle, a caminhonete veio por detrás e se chocou contra nós, atingindo o lado do motorista. O impacto fez com que nosso carro saísse voando pelos ares. Ele voou por 30 metros, chocou-se contra o chão e rolou lateralmente, capotou uma vez e meia e deslizou por 32 metros, de cabeça para baixo, antes de parar no acostamento da estrada.

Depois de sermos atingidos, não me lembro de ouvir nada, nem de sentir qualquer dor imediata, mas me lembro de todas as sensações de movimento que aconteceram desde o momento do impacto até nosso carro finalmente parar. De repente, senti que meu rosto estava preso entre o assento do motorista e a lateral esquerda do carro. Minha cabeça foi jogada para trás. Depois, rolei para o outro lado do carro e senti que as minhas costelas bateram contra a reentrância que cobre a roda. A seguir, tive uma experiência momentânea de estar flutuando, rolando e girando em câmera lenta, como em uma cena de sonho em um filme. Finalmente, senti um formigamento estranho nas costas. Foi aí que tudo parou.

Eu estava atordoado demais para dizer qualquer coisa durante alguns segundos, enquanto meu cérebro começava a clarear as ideias. Quando consegui raciocinar novamente, não pensei sobre a possibilidade de que podia estar ferido. Não conseguia sentir nada. A única coisa em que consegui pensar foi na minha esposa.

— Krickitt! — gritei. Em resposta, apenas o silêncio. — Krickiiiiitt!!

Eu sabia que ainda podia ouvir, pois reconheci o som do motor do carro funcionando. Mas a mulher que era minha esposa há dois meses não me respondia. Levei alguns segundos para olhar ao meu redor e descobrir onde estava. Depois de um momento, percebi que o carro estava de cabeça para baixo e eu, deitado no teto, pelo lado de dentro. O teto solar havia se estilhaçado quando o carro deslizou no asfalto, e eu havia percorrido a última parte daquele trajeto de 32 metros deslizando sobre vidro quebrado e asfalto.

Mais uma vez, chamei por minha esposa aos gritos e, conforme o som da minha voz se perdeu na distância, senti algo molhado no meu rosto. Depois de tudo o que havia acontecido, imaginei que provavelmente estava com alguns cortes e sangrando. Tentei levar a mão até o rosto para tatear ferimentos. Vi minha mão mover-se lentamente em direção ao rosto, como se estivesse em meio a um sonho, ou como se fosse a mão de alguma outra pessoa. Conforme ela chegou mais perto, uma mancha vermelha apareceu, e depois outra. A mão, em si, não parecia estar ferida, então imaginei que o sangue, de algum modo, estava vindo de algum corte na minha cabeça.

Tentei fazer com que as manchas parassem de surgir mantendo a mão longe do rosto, mas elas continuaram a brotar. O sangue escorreu pelo meu braço e começou a pingar sobre o teto solar quebrado. Eu finalmente olhei para cima. Enxergar tudo de cabeça para baixo foi uma sensação estranha para mim: os encostos dos assentos apontando para baixo, na minha direção, e as janelas em lugares diferentes de onde deviam estar.

Minha mente, ainda atordoada pelo acidente, finalmente compreendeu que o sangue que escorria não era meu. Acima de mim, minha esposa estava suspensa de cabeça para baixo, presa pelo cinto de segurança. Seus braços pendiam para baixo. Seus olhos estavam fechados. Ela não se movia. Nós estávamos a pouco mais de meio metro de distância, mas não conseguia alcançá-la. Como já havia escurecido, não conseguia vê-la claramente para identificar que tipo de ferimentos ela poderia ter. De repente, percebi que ela poderia até mesmo estar morta.

— Krickitt! — gritei mais uma vez, usando a voz imperativa, típica dos treinadores esportivos, esperando conseguir fazer com que ela acordasse. Os olhos dela não se abriram, mas ela se moveu um pouco no assento, deu um suspiro longo e estrangulado, e ficou imóvel novamente.

Pensei que havia acabado de ouvir o último suspiro da vida da minha esposa.

Eu a chamei pelo nome mais uma vez e comecei a tentar sair do carro, mas não conseguia me mover e, no início, não consegui descobrir o porquê. Não havia nada em cima de mim ou bloqueando meu caminho, e havia uma rota de fuga bem na minha frente, através do vidro traseiro, que havia desaparecido por completo. Depois de alguns momentos, percebi que não conseguia sentir as minhas pernas. Eu era incapaz de me mover da cintura para baixo.

Meu nariz começou a formigar, e levantei a mão para tocá-lo. Senti algo pontiagudo. Fiquei chocado ao descobrir que havia tocado o osso na base de onde o meu nariz deveria estar.

Por fim, ouvi outra voz, mas não era a de Krickitt. — Me dê a sua mão! Eu vou ajudá-lo a sair!

Olhei para a janela, diretamente nos olhos de um estranho, um bom samaritano que veio nos ajudar.

— Não consigo mexer as pernas — gritei de volta.

— Desligue o motor! Essa coisa pode explodir a qualquer minuto.

Depois de um momento de confusão, percebi que o homem estava conversando com o nosso passageiro, que estava sentado no banco do carona. De algum modo, ele havia conseguido sobreviver àquela tragédia e sofrido apenas um deslocamento no ombro. Embora estivesse um pouco zonzo, ele havia conseguido sair do carro, e, ao ouvir o comando do estranho, enfiou a mão para dentro para desligar a chave.

— A chave quebrou dentro do contato — disse ele.

— Você tem que dar um jeito de desligar o carro! — exigiu o estranho.

Depois de mexer e dedilhar desesperadamente, a alavanca da ignição virou, e o motor ficou em silêncio.

— Certo, estou indo pegá-lo — disse o homem. Deitando de bruços, ele rastejou pela janela ao meu lado. Eu o agarrei pelos ombros, e ele me segurou com uma mão enquanto usava a outra para nos arrastar para fora do carro e sobre a grama que havia ao lado da rodovia.

Foi então que percebi que outro veículo havia parado. Um casal veio em nossa direção, deixando as crianças dentro da sua *van*.

— Crianças, fiquem aí dentro — disse o homem, enquanto se aproximava do nosso carro. Ele olhou para os destroços e o sangue e, sem mostrar qualquer pânico, fez uma oração antes de tentar nos ajudar. Sua esposa veio até onde eu estava na grama para ver o que ela podia fazer para ajudar. Ela temia que eu pudesse estar sangrando por causa de possíveis ferimentos abertos, até descobrir que a maior parte do sangue que me cobria não era meu.

O casal se apresentou como Wayne e Kelli Marshall, e eles se ofereceram para fazer tudo que pudessem para nos auxiliar. Naquele momento, a única coisa que eu precisava saber era que minha esposa não estava morta.

Enquanto o homem que havia me resgatado me enrolava em cobertores que estavam em sua caminhonete, outro carro parou e a motorista veio correndo até onde eu estava. Ela disse algumas palavras e depois parou abruptamente, com um olhar horrorizado no rosto, me reconhecendo.

— Meu Deus! Você é o filho de Danny Carpenter! Sua prima Debbie é a minha melhor amiga!

— Vou ligar para a sua família — disse a mulher, e se afastou para dar os telefonemas.

Eu não consegui evitar de me impressionar com as circunstâncias de tudo que estava acontecendo. Estávamos ali, bem no meio de lugar nenhum, e já havíamos encontrado um socorrista, alguém que pudesse rezar por nós e uma amiga da família.

Os motoristas dos outros dois veículos não tinham ferimentos visíveis, e mesmo os dois passageiros que viajavam na caminhonete apresentavam apenas ferimentos leves. O mesmo não podia ser dito a respeito de Krickitt e de mim. Além de estar muito ferido, eu também estava atordoado, em estado de choque. A única coisa em que conseguia pensar era em Krickitt, presa dentro do carro capotado a alguns metros de distância, parecendo estar se esvaindo em sangue, ou como se já estivesse morta. Sua cabeça estava presa entre o volante e o teto. Percebi que, se estivesse dirigindo, eu teria sido morto instantaneamente, porque não caberia no espaço que sobrara... Entretanto, o caso de Krickitt também era grave. Podíamos ver que, se alguém soltasse o cinto de segurança antes que sua cabeça estivesse livre, aquilo provavelmente faria com que ela quebrasse o pescoço, se já não estivesse quebrado.

Em poucos minutos, a polícia e as ambulâncias começaram a chegar. Era óbvio que a porta do carro teria que ser cortada para que Krickitt pudesse ser retirada das ferragens, mas os paramédicos temiam ter que esperar todo aquele tempo para poderem começar o tratamento. Assim, uma delas, DJ Coombs, rastejou para dentro das ferragens, depois soube que ela sofria de uma forte claustrofobia, e começou a aplicar injeções em Krickitt, monitorando seus sinais vitais enquanto ela ainda estava presa de cabeça para baixo pelo cinto de segurança. Krickitt parecia oscilar entre a inconsciência e a consciência. Suas pupilas se dilatavam e contraíam alternadamente, um sintoma clássico, conforme aprendi mais tarde, de trauma cerebral grave.

Enquanto a equipe de resgate ainda estava cortando a porta do carro, nosso passageiro e eu fomos colocados em uma ambulância. No caminho para o hospital em Gallup, os paramédicos começaram a catalogar meus ferimentos. Minha orelha esquerda havia sido quase decepada, assim como meu nariz. Eu também estava com outras lacerações no rosto, uma concussão, duas costelas quebradas e uma fratura na mão. Mais tarde, os médicos descobririam também problemas no tecido do pulmão e um ferimento no músculo cardíaco.

Enquanto a ambulância corria pela estrada, ouvi um dos paramédicos entrando em contato com o hospital pelo rádio. — Temos duas vítimas de acidente, ambas do sexo masculino, um em condição crítica, o outro em condição séria. A terceira vítima ainda está no local do acidente, em condição gravemente crítica.

Aquelas palavras não eram nada boas, mas percebi que, pelo menos, significavam que Krickitt ainda estava viva.

Quando chegamos à sala de emergência do hospital Rehoboth-McKinley, em Gallup, fui imediatamente levado para fazer um raio-X e uma tomografia computadorizada. A equipe médica descobriu um grande inchaço atrás da minha orelha esquerda, que pensaram indicar a possibilidade de uma fratura craniana. Quando terminei os exames, Krickitt já estava recebendo o tratamento salva-vidas em outra área da sala de emergência. Assim, não podia vê-la, mas eu sabia que as notícias não seriam boas. Afinal, eu a havia visto dentro dos destroços do carro, e os socorristas demoraram mais de meia hora para conseguir tirá-la de lá.

Ninguém me dava uma resposta direta a respeito da condição de Krickitt. Como ela estava? Iria recuperar-se? Ficaria bem? Ninguém me dizia nada, e percebi que aquilo era um mau sinal. Mais tarde, fiquei sabendo que, quando uma das auxiliares de enfermagem ouviu dizer que Krickitt ainda estava viva, algumas horas depois de ser internada no hospital, ela recusou-se a acreditar. Ela nunca havia visto alguém sobreviver a ferimentos tão graves na cabeça.

Assim que Krickitt chegou ao hospital, toda a equipe médica se concentrou na prestação de socorro a ela, embora aquilo não fosse motivo para eu reclamar. A equipe da sala de emergência havia começado um tratamento preliminar comigo, mas não aceitei receber qualquer sedativo ou passar por qualquer procedimento antes de saber o que estava acontecendo com a minha esposa. Já estava esperando há algum tempo quando um médico veio falar comigo. Ele agia com profissionalismo e confiança, mas, quando olhei em seus olhos, percebi que ele estava exausto. Ele me entregou um pequeno envelope pardo.

— Senhor Carpenter, lamento muito.

Não consegui formular uma resposta antes que o médico deixasse o quarto. Não havia nada a fazer a não ser investigar o conteúdo do envelope. Eu o abri com a mão que não estava ferida e despejei o conteúdo sobre a outra. Vi o relógio de pulso da Highlands University que havia mandado fazer para presentear Krickitt... e sua aliança de casamento.

Quando lhe dei aquele anel, jurei protegê-la em tempos de necessidade e dificuldade. Definitivamente, esse era um momento de necessidade e dificuldade, mas eu me sentia impotente. Não havia nada que pudesse fazer para protegê-la.

Meus pensamentos e emoções estavam bastante confusos dentro de mim. Eu sentia dor, e estava exausto, mas, acima de tudo, fiquei chateado por não saber como Krickitt estava. Mas, de repente, rasgando tudo mais que se passava pela minha cabeça, veio a ideia de que ela estava morta.

Eu estava muito descrente para ficar triste. Não era por não estar disposto a acreditar que minha esposa estava morta; simplesmente não conseguia acreditar. Eu me sentia incapaz de aceitar o fato de que aqueles olhos azuis haviam se fechado para sempre, e que eu nunca voltaria a ver aquele sorriso radiante que ela abria para mim do outro lado da mesa do jantar. Não conseguia acreditar que a mulher mais alegre e entusiasmada que conheci em toda minha vida fora arrancada de mim de forma tão selvagem. Meu cérebro simplesmente se recusava a processar a ideia de que, após dois meses de casamento, eu passava a ser viúvo. Viúvo.

Algum tempo depois, uma enfermeira veio me examinar e me falar sobre o estado de Krickitt.

— Fizemos tudo que era possível, mas a condição da sua esposa não melhorou. Ela está além da possibilidade de auxílio médico — explicou ela. "Talvez ela esteja além da possibilidade de auxílio médico", pensei. "Mas ainda posso pedir a Deus."

A enfermeira prosseguiu: — Mesmo assim, ela está resistindo melhor do que qualquer pessoa na mesma condição. Ela é forte, e está em excelente forma física. O médico requisitou um helicóptero para levá-la a um hospital em Albuquerque.

A porta que, aparentemente, havia se fechado há alguns minutos havia, milagrosamente, voltado a ficar entreaberta.

Naquele momento, eu não sabia, mas quando a equipe médica de transporte aéreo recebeu a ordem de levar a minha esposa para o hospital da Universidade do Novo México, em Albuquerque, a 210 quilômetros de distância, eles temeram, de acordo com sua experiência, que a viagem pudesse ser um esforço inútil. Levaria uma hora inteira até o helicóptero chegar a Gallup e, depois disso, mais uma até que pudessem levar a minha esposa até Albuquerque. Eles imaginavam que, por causa desse tempo todo, provavelmente seria tarde demais para Krickitt.

Entretanto, por Deus, a equipe médica do hospital Rehoboth-McKinley, de Gallup, resolveu arriscar e tentar salvar a vida de Krickitt Carpenter. Quando a levaram para fora da sala de emergência, eu a vi pela primeira vez, desde que havia sido tirado da cena do acidente, horas atrás. Ela estava deitada em uma maca, cercada por membros da equipe médica, que estavam cuidando do que parecia ser uma dúzia de mangueiras intravenosas de soro e aparelhos de monitoramento. A cabeça e o rosto da minha esposa estavam tão inchados e machucados que eu mal conseguia reconhecê-la. Seus lábios e orelhas estavam roxos pelos hematomas, e o inchaço era tão grave que suas pálpebras nem se fechavam. Os olhos dela me encararam com uma expressão vazia, e seus braços se moviam a esmo (eram mais sinais de trauma sério na cabeça). Sua temperatura corporal era instável, e a equipe a colocou dentro de uma capa térmica para o corpo inteiro. Para mim, parecia uma bolsa usada para transportar cadáveres.

Levantei da cama onde estava e agarrei as duas mãos de Krickitt. Elas estavam horrivelmente geladas.

— Nós vamos sair dessa, Krick — disse para ela. Sorri, mas senti as lágrimas chegarem mesmo assim. — Não vá morrer e me deixar aqui! — implorei, com a minha boca a poucos centímetros do seu rosto. Ela tinha uma máscara de oxigênio sobre o nariz e a boca. Consegui ouvi-la respirando, de forma fraca e rápida. — Estamos juntos para sempre, você se lembra? Ainda temos muita coisa pela frente!

Quando começaram a empurrar a maca de Krickitt para o heliporto, percebi que eles não tinham planos de me deixar embarcar.

— É preciso levar dois médicos e uma quantidade muito grande de equipamento para que sua esposa consiga sobreviver à viagem. Não há espaço para passageiros — foi o que alguém me explicou.

Eu não era apenas um passageiro, era o marido dela. E também era um paciente do hospital, como repentinamente percebi, com minha própria cota de ferimentos sérios. Tentei convencer qualquer pessoa disposta a ouvir a mandar o helicóptero de volta para me buscar. Mas aquilo não iria acontecer. Alguém me disse que havia mais dois chamados ativos, e não haveria tempo para fazer outra viagem de ida e volta com duração de duas horas para me levar até Albuquerque. Enquanto assimilava aquelas palavras, observei minha esposa ser levada através dos corredores do hospital em direção ao helicóptero, que já a aguardava.

— Aguente firme, Krickitt. Estou rezando por você! — gritei, antes de começar a chorar enquanto observava minha esposa, o amor da minha vida, ser levada para dentro do helicóptero e instalada na aeronave. Fiquei ali, sem acreditar, enquanto o som rítmico do motor do helicóptero desaparecia na distância.

Desde que cheguei ao hospital, tentei, repetidamente, entrar em contato com os pais de Krickitt em Phoenix e com os meus em Farmington, no Novo México. Mas, como era véspera do dia de Ação de Graças, não havia ninguém em casa. Sem opções, eu, finalmente, liguei para o número de telefone do apartamento onde Krickitt morava antes de nos casarmos e conversei com Lisa, sua ex-colega de quarto, que ainda morava ali com Megan, na Califórnia. Expliquei rapidamente a situação e, depois, pedi que ela tentasse entrar em contato com os pais de Krickitt, contar a eles sobre o acidente e aguardar por mais notícias.

Então, liguei para o meu chefe, Rob Evers, diretor de atletismo na universidade. Eu lhe falei sobre a situação e pedi a ele que tentasse encontrar meus pais. Ele disse que faria aquilo imediatamente, e saiu em busca deles. Ele sabia que eu tinha um tio em Albuquerque cujo sobrenome era Morris, mas não sabia qual era seu primeiro nome, pois todos o chamavam pelo apelido de Corky. Assim, Rob ligou para a companhia telefônica e explicou que tinha uma emergência e que precisava entrar em contato com a família.

— Nós geralmente não fazemos isso, senhor. Mas, por favor, aguarde na linha.

A atendente ligou para todos os assinantes de sobrenome Morris em Albuquerque até encontrar a pessoa certa.

O tio Corky tinha o número de telefone do sócio do meu pai na empresa. Rob ligou para o homem que, após algum tempo, conseguiu entrar em contato com meu pai em seu telefone celular. Ele e a minha mãe estavam passando o dia de Ação de Graças com meu irmão Kelly, em Roswell, no Novo México. Meu pai me telefonou imediatamente. Disse a ele que o médico havia me entregado a aliança de casamento de Krickitt, e havia dito "Senhor Carpenter, lamento muito", e que estava frustrado por não saber o que estava acontecendo, mas ligaria para ele com notícias assim que soubesse de algo novo.

Deitado na cama do hospital, depois que o helicóptero levou Krickitt embora, ainda não acreditava que minha esposa, com quem havia me casado há apenas dois meses, pudesse morrer. Ela era tão cheia de vida, tão alegre, e totalmente focada em ser a mulher que Deus queria que ela fosse. Naquela manhã, ela voltara a escrever em seu diário. Quando li as anotações daquele dia, fiquei impressionado pelo que ela escreveu: "Deus, ajude-nos a viver segundo Seus valores. Por favor, abra o meu coração e o de Kimmer para que sempre façamos as coisas de Seu agrado". Mal sabíamos, naquela noite de Ação de Graças, a maneira como aquelas orações seriam respondidas.

Mesmo assim, naquela noite, meus pensamentos não estavam focados no futuro. Estavam centrados nos eventos horríveis do presente. Voltei a telefonar para o meu pai. Por entre meu choro desesperado, consegui pronunciar algumas palavras.

— Eles levaram Krickitt de helicóptero para Albuquerque, mas não me deixaram ir com ela. Você tem que vir até onde estou e me tirar daqui. Me leve até onde ela está.

E desabei em lágrimas mais uma vez, dominado pelas emoções que tomavam conta de mim. Tinha que ver minha esposa mais uma vez, antes que ela morresse.

três
Um milagre nos dias atuais

Enquanto meu pai estava procurando por uma maneira de me levar para Albuquerque, os pais de Krickitt estavam chegando em casa, onde não encontrariam ninguém esperando. Gus e Mary haviam feito tudo que podiam para garantir que nosso primeiro dia de Ação de Graças como casal fosse especial. Como não conseguiríamos visitá-los no Natal, por causa da minha escala de trabalho, eles decidiram acrescentar um toque das festas de fim de ano para alegrar a casa, com luzes de Natal, tanto do lado de dentro quanto fora da casa. Eles sabiam que chegaríamos tarde da noite, então haviam saído para assistir a uma partida de basquete.

Os pais de Krickitt ainda não sabiam do ocorrido quando chegaram em casa, mas Mary sabia que havia algo errado, mesmo antes de entrarem. Já passava da meia-noite, e, mesmo assim, quando estacionaram em frente à casa, o carro branco não estava lá para anunciar nossa chegada. Eles logo ouviram a notícia que mudaria sua vida: sua amada filha e o marido haviam sofrido um grave acidente, e o prognóstico não era bom.

Estava esperando que meu pai me telefonasse para explicar o plano, mas foi Mary quem me ligou. Como Krickitt estava a caminho de Albuquerque, eu não sabia informar a Mary como ela estava, pois eu mesmo não sabia. Mas me lembro de ter dito a ela o seguinte: "Estou sentindo muita dor, e não consigo viver sem ela". Mary disse que ligaria para o hospital e verificaria o estado de Krickitt, e que ela e o marido pegariam o primeiro voo de Phoenix para Albuquerque[8] no dia seguinte.

Talvez tenham se passado dois minutos depois que conversei com Mary, ou talvez duas horas. Meu telefone tocou de novo. Eu atendi e ouvi a voz do meu pai.

— Filho, como você está?

— Quero ver Krickitt. É assim que estou. Não consigo respirar direito e minhas costas estão me matando. Tenho que vê-la, pai.

As lágrimas estavam se acumulando no fundo dos meus olhos, mas eu tinha que mantê-las sob controle para conseguir prosseguir com a conversa. Esperava com todas as minhas forças que meu pai pudesse me levar a Albuquerque para ver minha esposa.

Ele podia.

— Escute, meu filho — disse ele, em uma voz firme e controlada, que me deu força e trouxe conforto. — Vou deixar sua mãe no hospital em Albuquerque. Depois, irei até Grants para pegar você no posto de gasolina que fica logo na entrada da cidade, e vou levá-lo para ver Krickitt.

Meu pai fez com que parecesse que ele teria apenas que atravessar a cidade rapidamente. Mas a verdade era que ele e minha mãe haviam acabado de percorrer 650 quilômetros através do Novo México para chegar até a casa do meu irmão. Agora ele iria dirigir mais 300 quilô-

[8] O trajeto de Phoenix, no Arizona, até Albuquerque, no Novo México, por via aérea, tem cerca de 520 quilômetros de distância. (N. T.)

metros de Roswell até Albuquerque, e de lá, mais 100 até Grants, o ponto médio entre Albuquerque e Gallup. Para completar a situação, uma tempestade de neve havia caído durante a noite, e algumas partes da estrada estavam cobertas por uma sólida camada de gelo.

— O problema, pai, é que acho que não vou conseguir sair daqui a menos que você venha e assine alguns documentos para que eu tenha alta. Eles me internaram no setor de emergência, e ainda não fizeram muito em relação aos meus ferimentos porque estavam ocupados demais com Krickitt. Estou num estado horrível, pai.

— Vou mandar Porky para tirar você daí.

Quando ouvi aquilo, sabia que estava em boas mãos. Porky Abeda era um dos melhores amigos do meu pai, um homem enorme, que já havia sido o chefe dos bombeiros de Gallup. Ele era bem conhecido na cidade e também bastante persuasivo. Assim, eu sabia que, se alguém pudesse me tirar do hospital, esse alguém seria Porky.

Compreensivelmente, os membros da equipe médica não concordaram com a minha decisão de sair. Uma enfermeira tentou argumentar comigo.

— Ainda não pudemos examiná-lo em busca de lesões internas. Não é aconselhável sair agora.

— Tudo que quero é estar junto da minha esposa.

— Quando você chegar a Albuquerque, pode ser impossível reparar os danos causados ao seu nariz e à sua orelha. E não sabemos nem mesmo que tipo de sangramento interno você pode ter neste momento.

Ela fez uma pausa e me deu um olhar muito sério. — Se você sair do hospital agora, você pode morrer.

— Eu não me importo. Se Krickitt morrer, então não tenho qualquer razão para viver.

Se um paciente deseja receber alta, contrariando a opinião dos médicos, o hospital só pode deixar que ele saia se um parente vier buscá-lo. Porky e eu não nos parecemos o bastante para passar por parentes. Ele é um descendente puro-sangue da tribo dos navajos, e eu sou branco. Não sei o que ele disse à equipe do hospital, mas funcionou.

Depois que os documentos foram assinados, Porky enrolou um cobertor ao meu redor e me colocou no banco traseiro do seu carro antes de sair pela estrada em direção a Grants. Experimentei várias posições no banco traseiro, tentando encontrar uma que me permitisse respirar com menos dor. A cada vez que eu inspirava, parecia que meu peito estava pegando fogo. Olhando pela janela, observei as luzes conforme corríamos pela rodovia interestadual. Finalmente vi o imenso letreiro do posto de gasolina em Grants, e estacionamos para que pudéssemos encontrar meu pai.

Ele estava andando de um lado para o outro na calçada. Havia conseguido chegar de Roswell na metade do tempo normal, embora a estrada estivesse coberta de gelo e outros dois acidentes tivessem acontecido entre Albuquerque e Gallup naquela noite, as mesmas batidas que haviam requisitado o helicóptero que poderia ter me levado até Albuquerque e até Krickitt. Porky desceu do carro, e vi que meu pai veio até ele.

— Onde está Kim? — ouvi meu pai perguntar, embora aquela pergunta estivesse abafada pelo som dos motores das inúmeras carretas ao nosso redor. Ele olhou para o carro, obviamente esperando que eu saísse e embarcasse no carro dele para que pudéssemos ir para Albuquerque.

— Danny, Kim não está nada bem — disse Porky, com a voz grave. — Ele não consegue sair sozinho de dentro do carro.

Quando Porky abriu a porta, o vento gelado me atingiu em cheio, mesmo com o cobertor enrolado ao meu redor. Os olhos do meu pai se encontraram com os meus antes que ele pudesse olhar para o meu rosto cortado, a orelha rasgada e o nariz mutilado. Ele estremeceu, e eu sabia que não era por causa do frio.

Os dois me levaram para o carro do meu pai, e partimos para Albuquerque, em um trajeto que, geralmente, não demoraria mais do que uma hora para ser percorrido. Quando pegamos a via de acesso para a rodovia interestadual, meu pai estava dirigindo a 170 quilômetros por hora.

Pela terceira vez em 12 horas, tentei encontrar uma posição confortável no banco de um carro. Era cada vez mais difícil respirar, e não conseguia inalar ar o suficiente. Tomar fôlego não era mais apenas doloroso, era impossível.

Disparamos pela rodovia interestadual, percorrendo quase três quilômetros por minuto, passando por várias pancadas de chuva gelada. Houve momentos em que achei que não conseguiria mais respirar. As costelas quebradas haviam perfurado meu pulmão, e eu sentia como se estivesse morrendo aos poucos.

Não houve muita conversa durante aquela viagem. De vez em quando, meu pai perguntava: — Você está bem, filho?

A resposta na minha cabeça era sempre a mesma. "Não, não estou bem. Minha esposa está morrendo, e eu posso estar morrendo também. Estamos casados há apenas 10 semanas, e tudo está se acabando em questão de horas... se já não houver acabado." Mas tudo que conseguia dizer era: — Apenas me leve para Albuquerque, pai.

De tempos em tempos, meu pai telefonava para a minha mãe no hospital para ver como as coisas estavam. Depois de cada telefonema, eu perguntava se havia alguma novidade.

— Ainda estão trabalhando nela — era a única resposta que eu recebia. Fui saber depois de um bom tempo que, quando meu pai ainda estava em Roswell, ele havia telefonado para o hospital e foi informado de que Krickitt provavelmente não sobreviveria àquela noite.

Não tinha ilusões de que meu pai estava me dizendo tudo que sabia a respeito de Krickitt. Eu a havia visto na maca em Gallup, havia ouvido os médicos e as enfermeiras conversando na sala de emergência. Eles haviam me trazido sua aliança de casamento, e agiam como se tudo já estivesse acabado. Para mim, parecia que haviam desistido da minha esposa ainda antes de a terem levado para o helicóptero.

Mesmo ao nos aproximarmos de Albuquerque, eu acreditava, no fundo do meu coração, que Krickitt pudesse estar morta. Quando disse à enfermeira que, se Krickitt morresse, não teria mais motivos para viver, eu estava sendo completamente honesto a respeito daquilo. Eu estava deitado no banco, pensando: "Posso acabar com essa agonia aqui e agora. Tudo que tenho que fazer é levantar a mão, abrir a maçaneta da porta e rolar para fora. A mais de 170 quilômetros por hora, o resultado só pode ser um." Mas assim que aquele pensamento me sobreveio, senti uma presença forte e pacífica no carro, que só poderia ser divina. Uma voz disse: "Espere um minuto". Não sei se cheguei realmente a ouvir aquelas palavras ou se apenas as senti, mas elas estavam lá, e me salvaram da decisão mais horrível e egoísta que eu poderia ter tomado. Não sei se toquei a maçaneta da porta com a mão, mas sei que nunca mais considerei a possibilidade de tirar minha própria vida. Até hoje me envergonho daqueles pensamentos quando olho para nossos dois filhos. Tirar minha própria vida teria impedido que eles pudessem desfrutar das suas.

Por fim, a estrada se inclinou para cima, e vimos a cidade de Albuquerque à nossa frente. Eu me levantei no assento e olhei para a malha urbana. E imaginei onde minha esposa estaria, em meio àquele imenso mar de luzes.

Quando estávamos a cinco quarteirões do hospital da Universidade do Novo México, meu pai telefonou para o pronto-socorro e disse-lhes que se preparassem para me receber quando chegássemos. Já fazia 10 horas desde que o acidente havia ocorrido, e eu ainda não havia recebido muito mais do que os primeiros socorros. Quando viramos a última esquina e estacionamos na entrada de emergência, havia uma multidão à espera. Médicos, enfermeiras... e a minha mãe. Achei que a presença dela ali fosse um mau sinal.

Alguém abriu a porta do carro, e tentei sair por meus próprios meios. Minha mãe olhou para mim, cheia de preocupação, e observei enquanto sua expressão se transformou primeiramente em choque e, em seguida, em horror, ao ver meu rosto desfigurado. Depois, ela desapareceu do meu campo de visão, que estava tomado por técnicos de enfermagem e médicos que se aproximavam para me ajudar a sair do carro. Eles estavam conversando comigo, e também entre si, de forma tão rápida que eu não sabia o que estava acontecendo.

— Onde está Krickitt? Onde está a minha esposa? — gritei por cima do barulho, com toda a força que consegui reunir. Parecia que ninguém estava me escutando. — Por favor, alguém me diga o que aconteceu com a minha esposa!

De repente, uma voz familiar se destacou por entre o caos. — Abram caminho! Saiam da minha frente!

Era Mike Kloeppel, meu padrinho de casamento, outro homem imenso que veio para me ajudar, assim como Porky Abeda havia feito. Mike sabia que a minha prioridade era saber sobre o estado de Krickitt, e não me entregar aos cuidados da equipe de emergência. Logo percebi que ele estava abrindo caminho por entre as pessoas para me falar sobre Krickitt, afastando enfermeiros e outros membros da equipe médica enquanto avançava. Vi alguém agarrá-lo pela camisa, mas ele se desvencilhou facilmente.

Quando Mike se aproximou o bastante para ter certeza de que eu poderia ouvi-lo, ele me perguntou: — Como estão as coisas, meu chapa?

Ignorando aquela pergunta, e temendo ouvir a resposta que ele teria para me dar, perguntei:

— Mike, ela ainda está viva?

Mike me olhou com um suspiro e disse: — Ela ainda está lutando, Kim. Os médicos ainda estão trabalhando com ela na UTI.

Senti uma onda de alívio tomar conta de mim, e enviei aos céus uma prece silenciosa de agradecimento naquela manhã do dia de Ação de Graças.

Depois que Mike saiu do caminho, fui levado às pressas para a sala de emergência. Quando os médicos deram uma boa olhada nos meus ferimentos, eles não conseguiram acreditar que eu havia recebido alta do hospital em Gallup naquele estado. Não consegui reunir forças para explicar que eu mesmo havia pedido alta, contrariando a decisão dos médicos.

Os mesmos médicos que haviam tratado Krickitt quando ela chegou vieram me examinar, e começaram a fazer requerimentos por sondas intravenosas, raios-X e tomografias computadorizadas.

As enfermeiras corriam para todos os lados para providenciar o que os médicos pediam. Eu soube que, devido ao inchaço que eles haviam descoberto atrás da minha orelha ferida, eu poderia estar com inchaço cerebral e sofrer danos permanentes.

Um dos médicos me perguntou onde eu sentia dores.

— Nas costas. Não consigo me mexer sem sentir dores pelo corpo inteiro.

Eles me viraram de bruços para me examinar. Ouvi alguém gritar:

— Olhem só isso!

E eles olharam. Aparentemente, quando o carro havia deslizado de cabeça para baixo no asfalto, alguns estilhaços de vidro do teto solar haviam se enfiado na pele das minhas costas. Alguns dos estilhaços chegavam a ter quatro centímetros de comprimento.

O médico fechou uma cortina ao meu redor para tentar me proteger da raiva que ele sentia, mas ainda consegui ouvi-lo perguntando a alguém que estava nas proximidades: — Alguém chegou a atender este homem em Gallup?

Claro, ele não conhecia a história inteira. Fiquei mais do que feliz por poder permitir à equipe do hospital de Gallup que dedicasse sua atenção exclusivamente à minha esposa, e aquilo a mantivera viva.

Mais tarde, soube que os enfermeiros que estavam no voo que trouxera Krickitt a Albuquerque confirmaram a qualidade dos cuidados que ela havia recebido em Gallup, escrevendo o seguinte: "O maior mérito pela sua recuperação se deve aos paramédicos de Gallup no local do acidente e aos doutores Kennedy e Beamsley no hospital Rehoboth. Eles fizeram tudo da maneira correta. Nós simplesmente voamos até aqui o mais rápido que conseguimos". De maneira nenhuma a equipe do hospital de Gallup poderia ser culpada pelo meu estado, pois eu havia exigido que me dessem alta na condição em que estava.

Enquanto os médicos me atendiam, eu insistia em perguntar à minha mãe sobre o estado de Krickitt. Durante aqueles minutos de pura agonia física, a única coisa que eu queria era que minha mãe aliviasse minha agonia emocional e mental, dizendo que minha esposa ficaria bem. Mas ela não me disse nada daquilo. Ela não conseguia. Ela não deixou eu saber que ninguém da equipe do helicóptero esperava que ela pudesse sobreviver. O médico que a internou em Albuquerque disse que ela tinha menos de 1% de chance de sobreviver. A única esperança de Krickitt era um milagre.

Pouco tempo depois, meu irmão gêmeo, Kirk, chegou ao hospital, vindo de Farmington, nossa cidade natal no noroeste do Novo México. Ele e sua esposa só ficaram sabendo do acidente depois da meia-noite, mas vieram assim que foi possível.

— Como você está, Kimbo? — perguntou ele, esforçando-se para sorrir.

— Já estive melhor. Preciso ver Krickitt — respondi.

— Você vai vê-la logo. Mas vai ter que esperar até que possa entrar na sala onde ela está.

Enquanto isso, a equipe da sala de emergência conseguiu colocar meu nariz de volta no lugar, engessaram minha mão fraturada, trataram das minhas costelas, me deram um sedativo e me prepararam para que pudesse ser internado no hospital. Quando eles já tinham terminado de me tratar, eu disse a eles que queria ver a minha esposa assim que fosse possível.

— Quando for internado, você não vai poder sair para ver sua esposa — alguém explicou.

— Então não vou aceitar ser internado.

Compreensivelmente, eles tentaram argumentar comigo, mas não lhes dei ouvidos. Eu me recusei a ser internado antes de poder ver minha esposa.

Eles finalmente concordaram em me mandar para a enfermaria para ficar em observação, e disseram que, se eu mostrasse sinais estáveis, permitiriam que eu visitasse Krickitt. Ela ainda estava na UTI, e me informaram que eu poderia ser levado até ela em uma cadeira de rodas. Eles me avisaram sobre o que eu iria ver. Fui informado de que devia me preparar para um forte choque quando visse a extensão dos ferimentos que ela havia sofrido e o enorme número de aparelhos no quarto. Mas nada daquilo importava para mim. Eu simplesmente estava feliz por ela estar viva.

Quando chegamos à porta da UTI, pedi ao técnico de enfermagem que estava empurrando a minha cadeira de rodas que parasse.

— Se houver alguma chance de que ela possa me ver, quero que ela perceba que estou caminhando. Vou até ela com minhas próprias pernas — expliquei ao rapaz. Fiz força para me levantar da cadeira de rodas e atravessei a porta a passos lentos.

Fiquei agradecido ao perceber que o auxiliar estava logo atrás de mim com a cadeira de rodas enquanto eu andava, porque, assim que consegui ver Krickitt, caí para trás. Era difícil de acreditar, mas ela não precisou passar por cirurgias; entretanto, devido às lesões cerebrais que havia sofrido, o corpo dela estava ligado a todo tipo de aparelho. Seu corpo estava preso à mesa, e ela se mexia tentando se soltar das correias que a prendiam, seu corpo estava agitado pelas convulsões. Seus olhos e lábios ainda tinham uma coloração arroxeada e escura. Todo o seu corpo estava inchado como um balão, e sua cabeça estava do tamanho de uma bola de basquete. Pude ver que havia tubos que lhe entravam pela boca e pelo nariz, e outros que desapareciam por baixo dos lençóis; as mangueiras das bolsas de soro estavam conectadas a agulhas enfiadas nos dois braços dela, e também em um dos pés. Havia uma sonda instalada em sua cabeça para medir a pressão entre o cérebro e o crânio, com fios e cabos que conectavam o aparelho a alguns dos monitores que, literalmente, enchiam a sala.

Ela estava sedada e não tinha condições de falar, por causa de todos aqueles tubos e mangueiras, mas eu estava desesperado para que ela me enviasse um sinal, ou que tentasse se comunicar comigo de alguma maneira. Voltei a me levantar da cadeira de rodas e segurei na mão da minha esposa.

— Sou eu, querida — eu disse, com a voz baixa. — Se você consegue me ouvir, aperte a minha mão.

Devido aos vários outros ferimentos, bem mais urgentes, ainda não sabíamos que a mão pálida e fria que eu estava segurando com tanto cuidado estava quebrada. Não percebi qualquer reação em seu rosto depois de ter pronunciado aquelas palavras... mas ela apertou a minha mão.

Uma fagulha de esperança se acendeu dentro de mim. Krickitt ainda estava ali. Em algum lugar, debaixo de todos aqueles fios e tubos, minha esposa ainda vivia. Foi o primeiro sinal de vida que conseguimos detectar sem que fosse preciso usar um aparelho. Embora, aparentemente, fosse uma coisa pequena, eu me senti tomado por uma onda de alegria.

Os médicos não ficaram tão animados quanto eu com a reação de Krickitt. Na opinião deles, era muito mais provável que ela viesse a morrer do que se recuperar.

Não demorou muito até que os pais de Krickitt e seu irmão Jamey chegassem, vindos de Phoenix. Como muitos outros, eles passaram as horas agonizantes da noite anterior chorando e rezando por um milagre. Entretanto, quando chegaram, Gus e Mary Pappas estavam incrivelmente calmos, mesmo depois de verem sua filha coberta por tubos e fios, com o rosto distorcido e quase irreconhecível.

Finalmente, meu irmão Kelly chegou. Ele foi sensato o bastante para sair de Roswell apenas depois do nascer do sol, depois que o gelo que cobria as estradas já houvesse se derretido. O círculo familiar estava completo.

Como geralmente acontece em casos como esse, os horários de visita na área de recuperação da UTI eram bastante limitados. Apenas membros da família poderiam entrar na unidade, e tinham permissão para ficar ali por apenas 30 minutos. Mesmo assim, os médicos nos deixavam ir e vir sempre que quiséssemos. Se qualquer um de nós estivesse com a cabeça tranquila para pensar no porquê, nós teríamos percebido que algo não estava certo. O que não sabíamos era que os médicos de Krickitt haviam informado à equipe de enfermagem que deixassem qualquer pessoa entrar, a qualquer hora, pois ela morreria dentro de poucas horas.

Os médicos passaram um bom tempo nos explicando a situação de Krickitt. Fomos informados de que havia dois problemas principais, e um deles tornava o outro ainda mais grave. A primeira situação, e também a mais perigosa, era o problema do edema no cérebro dela. Aquele inchaço impedia que o sangue fluísse normalmente até as células do cérebro de Krickitt, e elas necessitavam com urgência de que os nutrientes e oxigênio pudessem chegar. O segundo problema era sua pressão arterial, que estava perigosamente baixa. Mesmo que não houvesse outras complicações, a baixa pressão arterial havia reduzido o fluxo de sangue para os órgãos, especialmente para o cérebro, o que viria a resultar em danos devido à falta de oxigenação. Em resumo, o edema e a baixa pressão representavam uma complicação dupla. Não foi preciso que ninguém explicasse que vasos sanguíneos constritos, associados a um baixo fluxo de sangue, eram uma combinação mortal.

Mas, com o tempo, como Krickitt estava resistindo, os médicos começaram a pensar que ela poderia sobreviver, apesar de todas as evidências contrárias. Anteriormente, no período da manhã, percebemos um sinal de que ela não ficaria paraplégica quando conseguiu mexer os dedos das mãos e dos pés. Mesmo assim, de acordo com os médicos, a cada minuto que o cérebro recebia uma quantidade insuficiente de oxigênio, as chances de que ela pudesse ter uma sequela cerebral permanente aumentavam. A pressão intracraniana havia diminuído um pouco, mas voltara a aumentar sem qualquer aviso. Eles estimaram que seu organismo precisaria de 24 a 48 horas para reverter o edema e restaurar completamente a oxigenação do cérebro. Quando aquilo acontecesse, se ela ainda estivesse viva, minha mulher sobreviveria, mas em um estado vegetativo permanente.

Tivemos que aprender o que significavam as informações apresentadas em cada um dos aparelhos no quarto, e passamos o resto do dia observando os números subirem e descerem. Embora soubéssemos o significado daquelas informações, não tínhamos qualquer condição de ajudar Krickitt. Os números em uma tela eram meramente os indicadores da vida e da morte, e não havia absolutamente nada que qualquer um de nós pudesse fazer a não ser sentar e observá-los piscando, esperando que começassem a se mover na direção certa.

Por causa de todo o estresse e drama das últimas 24 horas, nós demoramos um pouco para lembrar que não estávamos completamente impotentes, afinal, ainda podíamos rezar. Todos ali sabiam que orações nem sempre têm o resultado que esperamos, mas não havíamos sequer tentado ainda.

Jamey, Mary e Gus, Curtis e Wendy Jones, alguns outros amigos e eu fomos até a capela do hospital. Jamey fez uma oração de improviso e nós rezamos para que a pressão no cérebro dela diminuísse. Rezamos e esperamos por um milagre.

Havia outras pessoas orando por Krickitt, também, como sua amiga Lisa, seus antigos colegas de faculdade e Gretchen, mulher de Jamey, que não pudera vir ao hospital porque estava grávida.

Aquelas pessoas ligaram para outras, que ligaram para outras mais. Ao final do dia, havia pessoas rezando por Krickitt até nos cantos mais distantes da Rússia.

Quando voltamos para a UTI, meus olhos buscaram automaticamente os monitores que passamos tanto tempo observando. Os números estavam melhores. A pressão intracraniana de Krickitt estava diminuindo, e continuava a diminuir conforme o tempo passava. As enfermeiras entravam e saíam da sala de tempos em tempos, e finalmente uma das enfermeiras chamou um médico, porque estava preocupada com a possibilidade de que a sonda houvesse saído do lugar. Ela não achava que os números nos monitores podiam estar certos. O médico verificou a sonda, mas ela estava em ordem. Mesmo assim, embora a pressão no cérebro de Krickitt continuasse a diminuir, sua pressão arterial continuava gravemente baixa.

As pessoas chegavam e telefonavam a todo momento, querendo saber como Krickitt estava. Pouco tempo depois de voltarmos da capela, o pastor, Fred Maldonado, chegou e, então, voltamos à capela para rezar. Ficamos nesse ir e vir de orações, pedindo que a pressão intracraniana diminuísse e que a pressão sanguínea aumentasse.

Quando voltamos para o quarto de Krickitt, percebemos que sua pressão arterial estava aumentando gradualmente. Quando uma enfermeira entrou e verificou a situação, ela ficou de queixo caído. Olhou para mim e apontou para o monitor de pressão.

— Olhe para os valores da pressão — disse ela, finalmente. Estávamos olhando. Era impossível tirar os olhos do mostrador. Estava voltando ao patamar normal.

Conforme as horas passavam, Krickitt, gradualmente, ficou mais alerta. Seus sinais vitais estavam se aproximando de níveis considerados normais, e logo ficou claro que ela conseguiria recobrar pelo menos algumas de suas funções básicas.

No decorrer dos dias seguintes, eu me esforcei para descansar e recuperar um pouco da minha força. Ainda não conseguia ficar em pé por muito tempo devido aos ferimentos nas costas e nas costelas, mas, mesmo assim, várias vezes durante o dia, eu ia vagarosamente até o quarto de Krickitt. Ela continuou a melhorar e, na segunda-feira após o dia de Ação de Graças, cinco dias após o acidente, foi transferida da UTI para um quarto normal, e não precisou mais ficar ligada aos aparelhos de suporte à vida.

Embora Krickitt estivesse razoavelmente alerta, em algumas raras ocasiões, ela ainda estava tecnicamente em coma. Entre as muitas coisas que aprendi naqueles dias, uma delas foi que havia 15 níveis diferentes de coma na escala que usavam para classificar o estado de Krickitt, e os níveis menos sérios incluíam estados em que o paciente poderia até mesmo estar alerta e ser capaz de fazer alguns movimentos[9]. Aquele era o caso de Krickitt. Ela passava a maior parte do dia dormindo, mas como os tubos de respiração e alimentação haviam sido retirados de sua boca, eu sabia que havia uma pequena possibilidade de que ela conseguisse falar. Estava desesperado para

[9] O narrador refere-se à Escala de Coma de Glasgow, utilizada mundialmente. (N. T.)

ouvir o som da voz dela desde que gritara o nome da minha esposa nos segundos que sucederam o acidente. Houve muitas ocasiões em que pensei que nunca mais voltaria a ouvir a voz dela. Cheguei até mesmo a sonhar que ela estava conversando comigo. Eu queria demais poder ouvir aquela voz novamente.

Com a permissão do médico, eu colocava pequenos pedaços de gelo em sua boca. Quando eu tocava os lábios dela com um dos pedaços, ela o ingeria. Os lábios de Krickitt já não estavam tão arroxeados. Eles estavam bastante pálidos e ressecados, mas eu conseguia sentir seu calor e o hálito dela em minha pele, conforme ela inspirava e expirava.

Depois de dar mais alguns pedaços de gelo a ela, coloquei meu rosto a poucos centímetros do dela.

— Eu amo você, Krickitt — eu disse, delicadamente.

— Eu também amo você.

Não conseguia acreditar! Minha esposa não havia apenas falado, mas ela havia dito as palavras que eu mais desejava ouvir. A minha Krickitt havia retornado. O simples fato de ouvir aquelas palavras fez com que eu soubesse que tudo ficaria bem.

quatro
Uma lição em meio à tragédia

Os médicos pensavam que a declaração de amor que Krickitt me fizera fora apenas uma reação baseada em seus reflexos. Eles alegavam que ela, provavelmente, não entendia o que qualquer um de nós estava dizendo; seu cérebro sabia apenas que "eu também amo você" era a resposta padrão para "Eu amo você". De acordo com a perspectiva médica, eu sabia que aquilo era verdade. Mas, para um homem que estava desesperado para recuperar sua esposa, aquelas palavras me davam esperança. Elas eram mais um passo no caminho de volta para a nossa vida, embora ainda não houvesse como saber se ela conseguiria se recuperar completamente.

Nos raros momentos em que os olhos de Krickitt se abriam, eles ficavam imóveis, como os olhos de uma boneca. Ela olhava para as coisas sem dar qualquer sinal de que as reconhecia, e era óbvio que ela não fazia ideia do que estava acontecendo. Uma solução de curto prazo para resolver esse problema acabou se mostrando bem simples. Depois de nos perguntarmos durante algum tempo a respeito daquela falta de concentração, seu pai repentinamente se lembrou de que ela provavelmente não estava enxergando bem. Suas lentes de contato foram removidas depois do acidente, e ninguém tivera a ideia de colocar-lhe os óculos no rosto. Quando fizemos aquilo, percebemos uma diferença imediata. Ela ficou muito mais consciente em relação aos seus arredores durante os momentos em que estava desperta. A primeira coisa em que prestou atenção mais demoradamente foi em um prato de gelatina que estava do outro lado do quarto, que fez com que ela ficasse mais animada do que estava até então. Fiquei muito feliz quando ela começou a se concentrar mais em mim, enquanto falava com ela. Foi uma pequena vitória que nos levou para mais perto do dia em que eu teria a minha Krickitt de volta.

Krickitt logo teve forças para se sentar na cama, em seguida, para ficar em pé e depois dar alguns passos vacilantes pelo quarto e de volta para a cama, ladeada por mim e por um dos técnicos de enfermagem. Entretanto, mesmo com aquela ajuda, ela não foi capaz de levantar seus pés do chão. Seu pé direito se arrastava, e seu pulso estava contorcido. Ficou óbvio que ela havia sofrido algum tipo de sequela neurológica. Era muito difícil ter que observar uma ex-ginasta tão talentosa esforçando-se tanto para conseguir apenas colocar um pé à frente do outro. Entretanto, poder se mover era um sinal de que ela provavelmente recuperaria bastante de seu equilíbrio e coordenação motora para que pudesse voltar a andar sozinha no futuro. Ela sabia como andar, mas ainda não estava forte o bastante para fazer aquilo.

Enquanto Krickitt dava seus primeiros passos com bastante dificuldade, eu a estimulava a continuar. Quando eu falava, ela olhava para mim.

— Eu amo você, Krickitt — eu dizia, enquanto olhava em seus olhos.

— Eu amo você também — dizia ela, várias vezes, mas sem qualquer inflexão vocal ou expressão facial. Eu esperava poder ver ou ouvir a minha velha Krickitt, mas ela ainda não estava lá.

Não demorou até que ela estivesse em condições de comer pudim e outros alimentos moles. Como ela não tinha condições de se alimentar sozinha naquele ponto, eu a alimentava enquanto ela estava sentada na cama. Às vezes ela olhava para mim ou para a comida, mas, na maior parte do tempo, ela simplesmente olhava para a parede em frente.

O passo seguinte para Krickitt seria um programa de reabilitação. Os médicos vinham discutindo as opções de lugares onde poderíamos levá-la para dar início ao longo processo de trazer seu corpo e sua mente de volta para o estado em que estavam antes do acidente, ou, pelo menos, o mais próximo possível. Fazer com que pessoas com lesões cerebrais recuperem todo o seu potencial é um processo intenso, altamente especializado, e caro, e os médicos queriam ter certeza de que Krickitt seria enviada para o melhor lugar que lidasse com pessoas em sua condição. A boa notícia era que um dos melhores locais possíveis, o Instituto Neurológico Barrow, ficava no hospital St. Joseph, em Phoenix. Como os pais de Krickitt moravam em Phoenix, aquela seria uma excelente escolha. Mas essa boa notícia acabou manchada por um possível obstáculo. Fomos informados de que o nosso plano de saúde provavelmente não permitiria que Krickitt fosse retirada do Novo México para fazer seu programa de reabilitação[10].

Como qualquer marido, fiquei indignado ao saber que a minha esposa não poderia receber o melhor tratamento disponível devido ao que eu considerava uma cláusula ridícula no contrato do plano de saúde.

— Tudo bem. Eles então podem pagar as despesas para que eu e meus pais nos mudemos para Albuquerque e depois podem pagar nossos aluguéis enquanto estivermos morando aqui.

[10] A cidade de Phoenix fica no estado do Arizona, enquanto a cidade de Albuquerque, onde a personagem Krickitt estava recebendo o tratamento, fica no estado do Novo México. (N. T.)

A assistente social que cuidou do caso, por outro lado, deve ter sido bem mais diplomática com a empresa do plano de saúde, porque, apesar da possibilidade ser ínfima, eles rapidamente liberaram os documentos necessários, permitindo que Krickitt fosse levada para fora do estado.

Infelizmente, nós logo descobrimos que não poderíamos levar Krickitt para o programa de reabilitação em Barrow. Em vez disso, os preparativos foram feitos para que ela fosse admitida em um programa de reabilitação para pacientes que haviam sofrido traumas na cabeça chamado Reabilitação Sem Muros, na cidade de Mesa, no Arizona. Alguns médicos que haviam trabalhado em Barrow haviam criado aquele programa, e, assim, sabíamos que seria uma boa escolha, embora não fosse exatamente aquilo pelo qual havíamos esperado tanto. Mesmo assim, dez dias depois do acidente, embarquei em um avião-ambulância com destino a Mesa, com a minha esposa e dois médicos.

Quando chegamos lá, o motorista da ambulância, que veio nos receber no desembarque, perguntou por que havíamos pousado ali, já que ficava a uma hora de distância do hospital. Ele explicou que recebeu instruções para nos levar a Barrow, em Phoenix. Nós explicamos que o pouso foi realizado em Mesa porque iríamos seguir para o centro Reabilitação Sem Muros. Depois de diversos telefonemas, finalmente descobrimos que, enquanto estávamos no ar, alguém percebeu que o centro Reabilitação Sem Muros não era um lugar adequado para Krickitt, porque era uma clínica ambulatorial, e Krickitt ainda precisava ficar internada por mais algum tempo. Quando essa questão foi descoberta, o Reabilitação Sem Muros entrou em contato com Barrow e explicou que Krickitt já estava a caminho do Arizona, e que precisava de cuidados mais complexos e especializados. A equipe de Barrow compreendeu a situação e aceitou seu caso imediatamente.

Chegamos ao Instituto Neurológico Barrow no fim daquela tarde, e logo fomos recebidos pelo neurologista-chefe. Havíamos trazido todos os tipos de raios-X, tomografias computadorizadas e outros relatórios conosco, mas o médico explicou que eles fariam seus próprios exames, que iriam começar imediatamente.

Depois que Krickitt passou por uma nova bateria de exames, nós a instalamos em seu quarto. Não demorou muito até que outro médico viesse e se apresentasse. Ele era um dos membros da equipe do Dr. Singh. O Dr. Singh seria o médico responsável por Krickitt, como explicou o médico associado, e viria examiná-la bem cedo na manhã da próxima segunda-feira. Como estávamos em uma sexta-feira, teríamos o fim de semana todo para nos acostumarmos com aquele ambiente antes que Krickitt começasse sua terapia, dali a alguns dias. Embora eu nunca pudesse imaginar que estaria em um centro de reabilitação depois de apenas dois meses de casado, tinha um bom pressentimento a respeito daquele lugar.

Barrow era um hospital especializado, mas os quartos eram como os de qualquer outro: móveis simples e paredes pintadas em um tom que ficava entre o amarelo e o bege. O quarto de Krickitt ficava diretamente abaixo do heliporto, então nós, frequentemente, ficávamos incomodados com o barulho dos helicópteros pousando e decolando. Ela também teve o privilégio de ficar num quarto vizinho ao de uma senhora que apelidamos de Dama dos Gemidos, porque ela passava horas gemendo. Entretanto, apesar do barulho que vinha de todos os lados, também tínhamos momentos de paz e tranquilidade. O quarto de Krickitt tinha uma janela que dava para um pátio interno, cheio de canteiros de flores e passarelas. Não havia nada florindo na primeira semana de dezembro, mas eu ansiava pela possibilidade de, algum dia, poder dar um passeio por ali com Krickitt ao meu lado. Ela já havia progredido bastante, e estava recebendo o melhor tratamento possível. Imaginei que não demoraria muito até que estivéssemos do lado de fora do quarto olhando para as flores e conversando sobre voltar para o nosso apartamento e nossa vida no Novo México.

Durante o tempo que ela passou em Barrow, tive a oportunidade de conhecer alguns dos outros pacientes que estavam nos quartos do mesmo andar que ela. Eles estavam em vários estágios de recuperação, e era bom ver os progressos que os outros estavam fazendo. Aquilo me deu mais esperança em relação a Krickitt. Alguns dos outros pacientes haviam passado por acidentes como ela, enquanto outros haviam sofrido AVCs ou aneurismas.

No dia seguinte, uma enfermeira e eu levamos Krickitt para dar seu primeiro passeio em outra parte do hospital. Nós empurramos a cadeira de rodas de onde ela estava até o refeitório dos pacientes para almoçar. Entretanto, Krickitt não estava preparada para ver outras pessoas com problemas neurológicos debilitantes. Percebi que ela estava com medo assim que entramos no salão.

— Isso assusta você, não é? — eu disse, quase involuntariamente, sem saber se realmente havia dito aquilo em voz alta ou se havia apenas formulado o pensamento.

— Sim — respondeu Krickitt, com a voz ainda um pouco rouca depois de passar cinco dias com um tubo de oxigênio enfiado em sua garganta. Eu não esperava que ela me respondesse, e senti uma explosão de alegria apesar do estresse que eu sabia que ela estava sentindo. Voltamos para o quarto, e Krickitt fez suas refeições ali até que estivesse em condições de ir para o refeitório geral do hospital. Nosso médico aprovou o plano, pois ele não queria que ela tivesse que encarar constantemente os efeitos negativos e permanentes que afetam as pessoas com lesões no cérebro. Em vez disso, ele, assim como eu, queria que ela recuperasse sua força e se concentrasse em melhorar a cada dia.

Embora tivesse uma reação bastante ruim ao ambiente do refeitório, o gosto da comida, verdadeiramente, era um dos poucos prazeres que alegravam Krickitt. O horário das refeições acabou por se tornar um momento feliz para nós dois. Ela simplesmente gostava de comer. E eu adorava as refeições, pois eram praticamente as únicas vezes no dia em que Krickitt se mostrava mais animada. Enquanto passávamos aquele tempo juntos, ela começou a conversar mais, e parecia estar um pouco mais próxima a mim durante as nossas conversas.

Durante aquele primeiro fim de semana em Barrow, fomos informados sobre a programação diária de Krickitt. Ela começaria o dia com uma sessão de terapia ocupacional, na qual reaprenderia habilidades pessoais, como tomar banho e se vestir. A seguir, passaria por um fonoaudiólogo, que identificaria possíveis deficiências da fala causadas pelas lesões e ensinaria como superar aqueles problemas. Sua terceira sessão do dia seria com um fisioterapeuta. Durante esse tempo, ela trabalharia para melhorar a coordenação entre as mãos e os olhos, o equilíbrio e habilidades motoras. Finalmente, faria uma pausa para o almoço. Depois, ela passaria as tardes trabalhando com tarefas caseiras básicas, tais como cozinhar, passar o aspirador de pó e arrumar a cama.

Era difícil acreditar que Krickitt não tardaria a ter uma agenda cheia de tarefas. Afinal de contas, ela ainda estava tecnicamente em coma. Na verdade, os médicos não considerariam que ela tivesse saído totalmente do coma indicado pela escala de Glasgow até alguns meses após o acidente. Quando chegamos em Barrow, menos de duas semanas após o desastre, ela ficava acordada apenas durante algumas horas por dia, e estava extremamente desorientada. Em sua primeira noite em Barrow, ela acordou durante a madrugada e tentou ir ao banheiro sozinha, mas acabou ficando presa na grade de proteção da cama que havia sido colocada ali para sua própria segurança. Daquele ponto em diante, sempre havia alguém dormindo no quarto com ela, todas as noites. Aquela tarefa geralmente ficava a cargo da mãe dela, pois eu ainda não estava em condições de fazer muita coisa devido aos meus próprios ferimentos.

Como Krickitt ainda estava dormindo mais de 20 horas por dia e não conseguia acompanhar uma conversa por mais de um minuto ou dois, eu não tinha certeza do que iria ocorrer em seu primeiro dia de terapia. Naquela primeira manhã de segunda-feira, depois de ser internada, no dia em que ela seria examinada pelo Dr. Singh, cheguei cedo ao quarto de Krickitt porque queria prepará-la. Minha intenção era acordá-la gentilmente e, depois, ajudá-la a se preparar para as atividades do dia. Tentei conversar com ela e acariciar seu rosto, mas não obtive resposta. A seguir, coloquei a mão em seu ombro e a agitei. Mesmo assim, não houve qualquer reação, por menor que fosse.

Naquele momento, o Dr. Raj Singh entrou, vestido como se tivesse acabado de sair das páginas de revistas de moda. Ele não era nada do que eu esperava, nada de jaleco branco, nada de estetoscópio, e nada de frieza profissional. Ele me deu um aperto de mão firme, aproximou-se da cabeceira da cama e curvou-se sobre Krickitt. Eu estava fazendo o melhor que podia para tentar acordá-la cuidadosamente, mas o médico tinha outros planos.

— Você tem que acordar — disse o Dr. Singh, com firmeza. Novamente, Krickitt não reagiu.

— Você tem que acordar — repetiu o médico, exatamente com o mesmo tom de voz. Nada.

Então, o Dr. Singh fez algo que eu nunca teria imaginado que fosse possível fazer. Ele estendeu o braço e deu um forte beliscão na altura da gola da camisola cirúrgica que ela estava usando. Os olhos dela se abriram repentinamente, e ela gritou: "Me deixe em paz!", junto com um sonoro palavrão. Fiquei abismado ao ouvir aquele tipo de linguagem saindo da boca da minha esposa.

Entretanto, o estratagema funcionou, porque agora o Dr. Singh tinha toda a atenção de Krickitt concentrada nele. Ele pediu a ela que movimentasse a mão direita. Ela obedeceu. Depois, pediu que movimentasse o pé esquerdo, e ela o fez. O Dr. Singh olhou para mim e abriu um largo sorriso.

— Ela vai ter ótimos resultados — disse ele, confiante. Em menos de uma hora, Krickitt já havia começado sua primeira sessão de terapia ocupacional.

Às vezes, eu tinha dificuldades para lembrar que Krickitt não fora a única pessoa que sofrera ferimentos no acidente: eu estava no meio das ferragens também. Enquanto estávamos em Gallup e Albuquerque, havia sido atendido no hospital cerca de seis vezes. Mesmo assim, não havia sido formalmente internado para passar a noite, porque não conseguia suportar a ideia de ficar longe de Krickitt. Eu pensava nela o tempo todo, todos os dias. Mesmo quando cochilava por alguns minutos não conseguia relaxar, pois estava preocupado demais com ela.

Mas meus ossos quebrados estavam se regenerando, e os cirurgiões de Albuquerque conseguiram restaurar meu nariz e minha orelha.De forma surpreendente, dali a poucos meses ninguém diria que eu quase os perdera do meu rosto. No entanto a situação era bem diferente com as minhas costas. A dor que eu sentia era constante. Embora os cortes causados pelos estilhaços do vidro do teto solar estivessem cicatrizando, eu sentia dores lancinantes por toda a extensão da coluna. Nunca sabia quando teria um ataque de dor ou quanto tempo cada crise duraria. Tive que tomar analgésicos muito potentes para conseguir passar os dias.

Quando pensava no que havia acontecido conosco, ainda ficava assombrado por nossas vidas terem sido poupadas. Meus pais haviam visitado o pátio onde os veículos acidentados ficavam guardados em Gallup para tentar encontrar minha carteira dentro do que restava do carro. Nosso carro novinho estava completamente destruído, e o interior estava coberto com sangue e cabelos. Parecia que ninguém havia sobrevivido ao acidente, mas, incrivelmente, nós três estávamos vivos.

Quando Krickitt estava a caminho da recuperação, consegui ceder um pouco da minha atenção para preencher os documentos exigidos pelo seguro e para organizar a papelada médica, que já estava começando a se empilhar. Durante nossos primeiros dias em Barrow, quando Krickitt ainda estava em coma, havíamos recebido uma ligação de uma das empresas responsáveis pelo equipamento de emergência. Para o meu desalento, eles já queriam saber quando iriam receber o cheque com os valores devidos. Eu não sabia que a pressão financeira seria tão imediata.

Em meio a todo aquele estresse e incerteza, começava a me perguntar se seria capaz de dar conta de tudo aquilo. Minha esposa estava com uma lesão cerebral que não era totalmente conhecida, e eu estava em um estado constante de dor e preocupação, e já estava sendo pressionado para começar a pagar os valores astronômicos das despesas médicas. Como eu poderia suportar tudo aquilo?

Algumas vezes, chegava até a esquecer a enormidade da situação quando lembrava dos poucos momentos felizes ou coisas engraçadas que haviam acontecido durante as últimas três semanas. Entretanto, logo em seguida, começava a pensar em Krickitt, deitada no escuro naquela cama de hospital. Eu a imaginava lá, dormindo, respirando lentamente, um fôlego após o outro. Será que algum daqueles seria fatalmente seu último suspiro? Eu sabia que ela estava melhorando, mas e se ela tivesse uma recaída? E se os médicos não tivessem percebido alguma lesão grave, algo que poderia matá-la de uma hora para outra?

Em seguida, começava a pensar em como minha esposa ficaria depois que o processo de reabilitação e o tratamento estivessem concluídos. Não fazia nem três meses que estávamos casados, a estação não havia mudado ainda. Tivemos uma cerimônia de casamento fantástica e uma lua de mel no Havaí. Depois, nos mudamos para nosso apartamento no Novo México. E aquilo era tudo, toda a nossa vida de casados. "Será que Krickitt conseguirá voltar a ser a mesma mulher com quem me casei?" Era o que eu imaginava. "Será que ela vai se recuperar a ponto de poder ter uma carreira profissional? Será que vai conseguir ter filhos?"

Todos aqueles pensamentos se reviravam na minha cabeça, noite após noite, conforme a escuridão se transformava em cinza, até que finalmente as cores do dia apareciam. Então eu me levantava, me vestia e saía para mais um dia em Barrow.

Eu tinha a intenção de ficar em Phoenix durante todo o tratamento de Krickitt. Assim, me mudei para a casa dos pais dela quando chegamos ao Arizona, porque não sabia quanto tempo passaria ali. Durante aquelas primeiras semanas, mal pensei no meu trabalho ou em qualquer outra de nossas responsabilidades que haviam sido deixadas para trás, em Las Vegas.

Gilbert Sanchez, o presidente da Universidade Highlands do Novo México, havia tentado me telefonar no hospital em Albuquerque, quando eu ainda estava na sala de emergência. Ele finalmente conseguiu falar comigo logo depois de chegarmos a Phoenix. Eu disse a ele o que pude sobre nossa situação. Ainda havia muitas coisas que não conhecíamos, e expliquei a ele que não fazia ideia sobre quando poderia voltar para o Novo México e para o meu trabalho. Depois da pausa para as festas do Natal e do Ano-Novo, meu time precisaria começar a se exercitar e voltar à forma física, e havia outras responsabilidades no departamento atlético que eu, ou alguém, precisaria resolver. Eu sabia que deveria ter entrado em contato com alguém da universidade para explicar o que estava acontecendo, e para encontrar alguém que pudesse me substituir, mas eu, simplesmente, não tinha tempo nem energia para fazer aquilo. De certa forma, havia abandonado meu time e meus chefes em meio a toda aquela tragédia.

Gilbert foi bastante generoso, como era sua característica, e também direto ao ponto quando conversamos ao telefone.

— Use todo o tempo que precisar. Você sempre terá um emprego conosco. Vamos procurar alguém para ajudar com os afazeres do departamento até que você possa voltar.

Ele também me fez prometer que lhe enviaria notícias sobre o estado de Krickitt a cada semana.

Nossos amigos na Highlands também estavam nos ajudando de outras maneiras, sem que tivéssemos pedido qualquer coisa a eles: Mike recolhia nossa correspondência e a enviava para Phoenix, algumas líderes de torcida haviam se mudado para o nosso apartamento para cuidar das coisas, e, quando o dono do apartamento que alugávamos ficou sabendo do que havia acontecido, ele me disse que não precisaria me preocupar com o aluguel. Se tivéssemos condições de pagá-lo mais tarde, ele aceitaria o dinheiro, caso aquilo não fosse possível, não precisaríamos nos preocupar com o custeio da nossa casa. Fiquei chocado com toda aquela generosidade e desprendimento.

Alguns dos amigos de Krickitt vieram visitá-la enquanto estávamos em Albuquerque. Depois de ser transferida para Phoenix, outros velhos amigos também vieram e decoraram seu quarto no hospital com luzes de Natal e uma pequena árvore.

Lisa e Megan, as duas amigas com quem Krickitt dividia o apartamento quando era solteira, não conseguiram sair da Califórnia antes que minha esposa fosse transferida para Phoenix. Quando Lisa e Megan vieram, Krickitt estava com uma aparência bem melhor do que aquela que tinha quando estava na UTI de Albuquerque, embora ainda não fosse possível dizer que ela se parecia com a pessoa que era antes do acidente. Entretanto, como ela havia melhorado bastante desde que tudo acontecera, não imaginava que alguém, que não a tivesse visto desde o acidente, ainda pudesse ficar chocado com a aparência dela. Desta forma, eu não dissera nada que preparasse Lisa e Megan para verem Krickitt, que, àquela altura, estava com metade dos cabelos raspados, o olhar vidrado como o de uma boneca e a aparência geral de uma pessoa que estava em coma há três semanas. Quando chegaram ao hospital, Lisa correu rapidamente para o quarto para ver a amiga. Ela olhou demoradamente para Krickitt e começou a tremer. Abriu a boca, mas não foi capaz de dizer uma palavra. Eu rapidamente a acompanhei até uma sala de reuniões para as famílias no final do corredor. Passamos vários minutos ali, chorando juntos, antes que Lisa estivesse em condições de voltar para o quarto de Krickitt.

Como todos os amigos carinhosos que vieram nos visitar, Lisa e Megan eram praticamente visitantes vindas de outro planeta. Elas vinham de um mundo em que as pessoas acordavam, tomavam o café da manhã, iam para o trabalho, assistiam à TV, almoçavam e jantavam em restaurantes, liam revistas, cuidavam do jardim e faziam todas as outras coisas normais que compunham a rotina diária da vida, sem nem mesmo pensar a respeito de tudo aquilo. Meu mundo havia se transformado em um lugar cheio de médicos, hospitais, comida de hospital, terapia, morar na casa dos meus sogros, negociar com empresas de cobrança e contas de despesas médicas, telefonar para nossa companhia de seguros, e passar o máximo de tempo possível ao lado de Krickitt. Meu emprego, meu time, meus amigos, minha vida de casado, tudo isso era como um sonho distante para mim.

Depois de pouco tempo na terapia, Krickitt estava melhorando. A cada manhã ela parecia estar mais forte, mais alerta e mais disposta a conversar. Aquele olhar perturbador já havia quase desaparecido, e ela estava começando a interagir mais naturalmente durante os diálogos.

Mesmo assim, os terapeutas ainda estavam sendo bastante cuidadosos com ela. Eles faziam com que ela se movimentasse vagarosamente, caminhando com o apoio de um colete que ficava suspenso por uma armação no teto, e trabalhava com quebra-cabeças simples. Quando ela passou a compreender diálogos e a responder perguntas, os médicos começaram a avaliar sua memória e outras habilidades mentais. No início, parecia que eles estavam conversando com uma criança. Ela falava usando apenas algumas palavras de uma ou duas sílabas, depois de longas pausas. Tinha que se concentrar bastante no que ia dizer, formando as palavras lentamente e cuidadosamente, como se elas lhe parecessem estranhas. Mesmo assim, melhorava dia após dia.

Não fiquei surpreso quando, apenas alguns dias depois que Krickitt começou a sair dos níveis mais baixos da escala de coma, ela quis escrever em seu diário. Ela ditou as palavras lentamente e com bastante esforço, enquanto sua amiga Julie as escrevia.

— A vida é muito boa. A terapia é muito confusa, às vezes. Sinto falta de como as coisas costumavam ser, das reuniões na igreja, do grupo de oração, mas sei que é assim que as coisas são.

Não demorou muito até que eu estivesse sentado com Krickitt, que estava falando com um terapeuta que sondava cuidadosamente as coisas que ela tinha condições de lembrar. Aquele "eu amo você" fora o primeiro sinal de que as coisas estavam lentamente voltando ao normal. Suas palavras a respeito de Deus foram outro sinal. Agora, eu estava pronto para receber uma prova ainda mais forte. Eu queria a minha esposa de volta.

— Krickitt, você sabe onde está? — perguntou seu terapeuta, falando com uma voz tranquila.

Krickitt pensou por um momento antes de responder.

— Em Phoenix.

— Isso mesmo, Krickitt. E você sabe em que ano estamos?

— 1965.

"Ela nasceu em 1969", pensei, sentindo um pouco de ansiedade. "É apenas um pequeno contratempo. Nada com que se preocupar", disse a mim mesmo, tentando me convencer daquelas palavras.

— Qual o nome do presidente do país, Krickitt?

— Nixon.

"Bem, Nixon era o presidente no ano em que ela nasceu", justifiquei.

— Krickitt, qual é o nome da sua mãe? — continuou o terapeuta.

— Mary — disse ela, sem hesitação... e sem demonstrar qualquer emoção. "Bem, agora estamos chegando a algum lugar. Obrigado, Deus!"

— Excelente, Krickitt. E qual é o nome do seu pai?

— Gus.

— Está certo. Muito bem.

O terapeuta parou por alguns instantes antes de continuar. — Krickitt, quem é seu marido?

Krickitt me olhou com os olhos vazios, sem qualquer expressão. Ela voltou a olhar para o terapeuta, mas não lhe respondeu.

— Krickitt, quem é seu marido?

Krickitt olhou para mim novamente e voltou o olhar para o terapeuta. Eu tinha certeza de que todos podiam ouvir meu coração batendo enquanto eu esperava, em meio ao silêncio e ao desespero, pela resposta da minha esposa.

— Não sou casada.

"Não! Meu Deus! Por favor!"

O terapeuta tentou mais uma vez. — Não, Krickitt, você é casada. Quem é o seu marido?

Ela franziu a testa. — Todd? — perguntou ela.

"Aquele ex-namorado que vivia na Califórnia? Deus, ajude-a a se lembrar!"

— Krickitt, por favor, pense com calma. Quem é o seu marido?

— Eu lhe disse. Não sou casada.

cinco
Prosseguindo

Quando Krickitt declarou que era solteira, daquela maneira tão tranquila e natural, senti como se alguém houvesse enfiado uma faca no meu peito. Olhei em seus olhos, rezando para receber um sinal, por menor que fosse, de que ela havia me reconhecido. Ela retornou o olhar, me encarando como se eu fosse um estranho. Até aquele ponto, eu tinha esperança de que a minha esposa, de alguma maneira, soubesse que eu era seu marido. Afinal de contas, eu estivera ao seu lado em quase todos os momentos em que ela estivera desperta, desde o acidente. Ela me reconhecia quando eu entrava pela porta do quarto, e respondia quando eu conversava com ela. Mas percebi que ela agia da mesma forma com a equipe médica. Para a minha esposa, eu era apenas mais uma pessoa que a estava ajudando a se recuperar. Finalmente me dei conta de que ela não fazia a menor ideia de quem eu era. Eu cambaleei para fora do quarto de Krickitt e, no corredor, comecei a socar a parede. Nem mesmo a dor lancinante que eu sentia na mão, que ainda estava quebrada e presa por uma tala, foi capaz de aliviar a fúria que eu sentia.

Por pior que fosse a minha reação, não me deixei dominar por muito tempo. Sentindo-me exausto e derrotado, voltei para o quarto de Krickitt e fiquei ao lado da cama dela. Ela olhou para mim sem qualquer raiva ou curiosidade. Parecia apenas estar esperando que eu conversasse com ela, como sempre fazia. Eu abri a boca, mas percebi que não tinha nada a dizer.

O neurologista de Krickitt em Barrow, o Dr. Kevin Obrien, explicou o diagnóstico da minha esposa da maneira mais otimista que conseguiu. Ele me disse que o acidente havia causado dois tipos de amnésia. A primeira, a amnésia pós-traumática, uma desorientação temporária em relação ao lugar onde ela estava e o que estava acontecendo ao seu redor. Para Krickitt, esse tipo de amnésia já estava começando a desaparecer, e logo sumiria completamente.

O segundo tipo de amnésia era mais preocupante, pelo menos para mim. Krickitt também estava sofrendo de amnésia retrógrada, uma perda permanente das memórias recentes. Nós já sabíamos que ela havia recuperado a memória em relação a pessoas e eventos do passado distante. Ela se lembrava de seus pais, do seu irmão e da sua cunhada. Também se lembrava da sua velha colega de quarto, Lisa. Ela lembrava-se até mesmo de seu ex-namorado, Todd, o que não me trouxe grande alegria. Mas ela não conseguia lembrar-se de nada do que havia acontecido no último ano e meio. E o que havia acontecido durante aqueles meses? Eu e a minha esposa havíamos nos conhecido, namorado, noivado, nos casado, passamos a lua de mel no Havaí e começamos a nossa vida a dois em Las Vegas. Ela não se lembrava de nada daquilo. Ela nem sequer se lembrava do acidente.

No decorrer dos dias seguintes, rezei bastante pelo futuro, o nosso futuro. Desde que eu havia visto os paramédicos trabalhando em Krickitt enquanto ela ainda estava presa de cabeça para baixo dentro do nosso carro, toda a minha existência estava focada em trazê-la de volta. Mas, com aquilo, eu presumia que estaria acrescentando coisas novas ao passado que havíamos compartilhado. De repente, o passado havia desaparecido. Agora eu não fazia a menor ideia sobre quando a memória da minha esposa retornaria, se é que ela chegaria a retornar. Mesmo assim, eu sabia que, independentemente de qualquer coisa, havia feito um juramento perante não apenas os nossos amigos e nossas famílias, mas também perante Deus. Krickitt era a minha esposa, em tempos tranquilos ou tempos difíceis. E aqueles eram, provavelmente, os piores tempos para nós.

A cada noite que passava em claro, rezando e pensando sobre como iria me adaptar a essa nova vida, eu tinha sensações diferentes a cada minuto. Medo, raiva e confusão se alternavam. Todos os tipos de perguntas corriam pela minha mente: "Como será a vida daqui para frente? Que tipo de pessoa Krickitt virá a ser? Ela sempre será diferente? A jovem mulher com quem me casei ainda está lá dentro, ou desapareceu para sempre? Quando saberemos que a recuperação está concluída? Quando ela vai melhorar o suficiente a ponto de receber alta?"

Era tudo em que eu conseguia pensar. Não conseguia dormir, não conseguia relaxar e não conseguia me livrar de todo aquele estresse. Embora Krickitt ainda tivesse uma chance de recuperar uma parte da memória perdida, os médicos disseram que havia algumas coisas das quais ela nunca conseguiria se lembrar. A pergunta mais angustiante era: "Será que eu seria uma dessas coisas?" Eu rapidamente afastei aquele pensamento. Não conseguia pensar na possibilidade de que a minha esposa não voltasse a se lembrar de mim.

Em pouco tempo, Krickitt voltou à rotina com sua terapia, e nós percebemos bons progressos em relação à sua coordenação, capacidade de andar, na fala e no raciocínio. Entretanto, tudo fazia parte de um processo. Por exemplo, quando começou a andar por seus próprios meios, ela movia o pé direito para frente num movimento rápido e depois arrastava o pé esquerdo por trás de si. Gradualmente, o movimento ficou mais fluido e mais natural. Não demorou muito até que ela fosse capaz de se vestir sozinha, comer e tomar conta de todas as necessidades básicas da vida.

Durante aquelas primeiras semanas da reabilitação, Krickitt parecia não se importar com a minha presença e falava comigo da mesma forma que conversava com todas as outras pessoas que estavam no centro de reabilitação: ela era cordial, até mesmo amistosa, mas nossas interações não tinham qualquer profundidade ou dimensão. Eram estritamente conversas superficiais.

Scott Madsen, o fisioterapeuta de Krickitt, era um treinador físico cheio de energia, com um dom especial para estimular seus pacientes a realizar um pouco mais a cada dia do que pensavam que podiam fazer. Seu plano para a terapia de Krickitt incluía algumas horas de caminhada na esteira, manipulação de pesos e uma gama de exercícios planejada para ajudá-la a recuperar o máximo possível da sua flexibilidade e força.

Como também sou técnico esportivo, eu acompanhava cuidadosamente o processo de Scott. Eu considerava que o relacionamento de um fisioterapeuta com seu paciente era similar ao meu relacionamento com um dos meus jogadores do time de beisebol. Depois de passar uma ou duas semanas observando Scott trabalhar com Krickitt, eu achava que ela parecia um pouco entediada com todo o processo. Francamente, eu pensava que Scott estava indo devagar demais com ela; estava convencido de que Krickitt precisava de um acompanhamento mais intenso junto com a reabilitação. Em minha opinião, ela simplesmente não estava se esforçando o bastante. Ela precisava que alguém a pressionasse um pouco.

Eu finalmente disse: — Scott, você precisa intensificar o ritmo do tratamento. Krickitt não é uma paciente como as outras. Ela foi campeã universitária de ginástica olímpica. Acho que você precisa fazer com que ela se esforce mais.

Scott concordou que Krickitt era capaz de fazer mais do que vinha fazendo. Eu me senti estimulado pela conversa que tive com ele, mas Krickitt não ficou feliz com as novas exigências. Ela reclamava e demonstrava insatisfação, porque Scott sempre queria resultados melhores do que ela podia fazer. Ele nunca estava satisfeito.

Scott obrigava Krickitt a se esforçar cada vez mais do que antes, mas a mudança em sua rotina não era drástica. Contudo, se alguém perguntasse a Krickitt o que ela estava achando, veria que ela agia como se ele estivesse praticamente submetendo-a à tortura. E, conforme a fisioterapia ficava mais intensa, o ânimo dela parecia ficar cada vez menor.

Desde que voltou a falar, Krickitt vinha agindo de forma estranhamente infantil. Aquela infantilidade não havia desaparecido com a terapia. Em vez disso, parecia ter se tornado uma parte permanente de sua personalidade. Durante suas sessões de terapia, ela tinha oscilações graves de humor, com acessos de petulância e birra que fariam inveja a qualquer criança de jardim de infância. Quando estava brava comigo, ela me insultava de maneira forte e inesperada. Sua falta de sutileza e de civilidade eram parecidas com as de uma garotinha, e ela não tinha qualquer pudor em dizer às pessoas exatamente o que pensava sobre elas ou sobre as sugestões que faziam. Ela usava palavrões de maneira liberal, coisa que nunca teria sonhado em fazer ou dizer há cerca de um mês.

Fui informado de que aquelas características eram comuns para alguém com lesões como as de Krickitt. O lobo frontal do seu cérebro estava lesionado, a parte que controla a personalidade, as emoções e o processo de tomada de decisão. Seu lobo parietal também havia sido afetado, o que significava que provavelmente haveria mudanças permanentes em sua capacidade matemática e na compreensão de linguagem. Não era apenas o corpo dela que se comportaria de forma diferente dali por diante, mas sua personalidade também mudaria. Novamente, até que chegasse ao último estágio de sua recuperação, ninguém tinha certeza do quanto ela melhoraria ou até que ponto conseguiria se aproximar da pessoa que era antes do acidente.

Embora houvesse aspectos novos e preocupantes nessa nova personalidade de Krickitt, meus medos eram sempre suavizados pelos outros bons resultados de sua recuperação. Conforme a terapia progredia, ela continuava a ficar mais forte fisicamente. Aquilo era estimulante, mas o que mais me animava era o progresso mental que ela vinha fazendo. Ela começou a recuperar memórias como se fossem rápidos *flashbacks*, ou vislumbrar algum instante de seu passado. Eram imagens mentais de algum momento do ano anterior que ela conseguia recuperar. Entretanto, o problema era que não havia nada que pudesse ligar aquelas memórias com qualquer aspecto de sua vida antes ou depois delas. Mesmo assim, investi a minha esperança naquelas lembranças. Eu sabia que elas poderiam ser a chave para que ela se lembrasse de nossa vida a dois, caso eu aparecesse em alguma delas. Num daqueles *flashbacks*, ela se viu sentada ao ar livre, em uma mesa cercada por plantas tropicais exuberantes. Aquela era uma imagem de nossa lua de mel no Havaí, embora, infelizmente, eu não aparecesse no quadro. Mas eu me apeguei àquela memória, pois era mais um elo que ela tinha com o seu, com o nosso, passado.

A parte mais estimulante da recuperação de Krickitt era o fato de que sua fé em Deus, de algum modo, havia permanecido intacta. Ela se lembrava de Deus, a igreja e a Bíblia. Por mais que seus pensamentos estivessem desorientados, ela havia louvado a Deus e orado pouco depois que os médicos a declararam fora do estado de coma. Mesmo assim, eu me preocupava pensando que a fé de Krickitt, que era tão importante para ela, poderia não ser tão forte como era antigamente. O irmão dela, Jamey, acalmou meus medos com estas palavras:

— O cristianismo de Krickitt está no centro dela, Kim. É uma parte da alma dela. A alma não pode ser afetada por qualquer ferimento, porque é imortal. Sua fé sempre vai estar viva. Está viva agora.

Os conselhos, o encorajamento e amor que eu recebi de Jamey e dos outros membros da família me ajudaram a manter a cabeça no lugar em momentos em que eu poderia enlouquecer de vez. Assim como Deus havia salvado a minha esposa para algum propósito maior e desconhecido, ele também havia me cercado com pessoas amáveis e apoiadoras, gente com quem eu podia conversar. Eu não teria a menor condição de superar tudo aquilo sem que meus pais, meus irmãos e a família de Krickitt estivessem ao meu lado para ajudar a carregar aquele fardo. Provavelmente eu teria desistido se tivesse que passar por tudo sozinho.

Krickitt avançou pelo Ano-Novo com progressos visíveis e consistentes. Nós percebíamos progressos firmes a cada semana. Suas flutuações de humor ainda eram fortes e imprevisíveis, e ela reclamava regularmente da pressão que Scott exercia para que ela tivesse o melhor resultado possível nas sessões de fisioterapia. Mesmo assim, ela estava mais forte e mais independente a cada dia e havia começado a sair para fazer algumas caminhadas curtas com membros da equipe médica pelo bairro ao redor do hospital Barrow. Ela adorava poder andar ao ar livre, especialmente quando podia ir até o *shopping center* que ficava nas proximidades. Uma lesão quase fatal no cérebro não havia afetado seu amor por um bom par de sapatos em oferta.

É incomum para um marido dizer isso, mas eu estava realmente feliz em relação ao desejo que a minha esposa sentia de poder fazer compras, pelo menos durante o tempo que passou no centro de reabilitação! Por causa da proximidade do *shopping center*, Krickitt pressionava a equipe para que a levassem para caminhar com mais frequência, o que provavelmente acelerou positivamente sua recuperação. Entretanto, como ainda estava internada, ela não podia deixar a área do hospital desacompanhada.

Todos os pacientes da ala onde ela estava usavam braceletes de segurança, e todas as portas eram ladeadas por um pequeno teclado numérico instalado na parede. Sempre que um paciente se aproximava de uma dessas portas, ele tinha que parar e esperar até que algum funcionário digitasse o código. Se qualquer pessoa que estivesse usando um bracelete passasse pela porta sem que alguém digitasse o código correto, um alarme soaria.

Certo dia, enquanto eu andava junto com Krickitt e uma enfermeira pelo corredor, nós todos paramos em frente à porta para que a enfermeira pudesse digitar o código. Entretanto, antes que ela pudesse alcançar o teclado, Krickitt estendeu a mão e digitou os números. Ela havia aprendido o código ao observar as enfermeiras. Como consequência, tiveram que mudar o código de segurança para toda aquela ala. Embora fosse um aborrecimento, ninguém se zangou com Krickitt, porque aquilo revelava o progresso que ela estava fazendo. Era mais um sinal encorajador de sua recuperação.

Procurei por sinais da velha Krickitt por toda parte, e eu sabia que, se pudesse ajudá-la a aceitar e cumprir o programa de reabilitação com toda a sua energia, eu a teria de volta. Eu não podia ajudá-la como marido, mas pensei que talvez conseguisse alcançá-la como treinador esportivo. Assim, troquei uma identidade pela outra, vindo até as suas sessões de terapia com Scott e pressionando os dois para se esforçarem mais. Agi como se fosse Jillian Michaels[11]. Se Scott lhe dissesse para fazer dez abdominais, eu pedia vinte. Se ele queria que ela caminhasse durante cinco minutos na esteira, eu a fazia andar dez. Como eu já esperava, Krickitt não ficou muito feliz com a nova função que eu assumi.

Uma ou duas semanas após o Ano-Novo, Krickitt e eu estávamos jogando uma partida de beisebol, adaptada às condições dela, com uma bola perfurada e um bastão de plástico leve. Eu lhe lançava a bola com um movimento fácil, com uma trajetória previsível, mas ela não conseguia acertá-la com o bastão.

— Vamos lá, Krick — eu pressionava. — Eu sei que você consegue acertá-la. Vamos tentar de novo.

— Estou cansada — respondeu ela, com uma careta. De repente, eu percebia como a minha esposa devia ter sido quando tinha seis anos de idade.

— Vamos fazer mais algumas vezes — eu disse, encorajando-a.

— Não quero.

Lá estava a garotinha novamente.

[11] *Personal trainer* e apresentadora de programas televisivos, nos Estados Unidos, voltados para a manutenção da boa forma física e perda de peso. (N. T.)

— Por favor, vamos? — eu disse, lançando-lhe a bola mais uma vez. Apertando os lábios, ela deu uma forte rebatida, e finalmente acertou a bola. Nós dois observamos a trajetória que a bola descreveu ao passar por cima da rede de voleibol que estava nas proximidades.

— É isso aí, Krick! Parabéns!

— Você é malvado.

— Não sou malvado — eu respondi. — Estou apenas tentando ajudar.

Pela milésima vez, procurei pela mulher por quem havia me apaixonado de forma tão incrível. Eu sabia que ela estava ali, naquele corpo que se recuperava lentamente, lutando para conseguir sair. Ela tinha que estar ali. Eu não queria pensar em outra alternativa.

As sessões diárias de terapia se tornaram um desafio para Krickitt. Não que elas fossem fisicamente difíceis. Ela simplesmente se sentia entediada e distraída durante a maior parte do tempo. A única razão pela qual ela participava da terapia era porque as pessoas insistiam para que ela cumprisse com o programa, não porque realmente quisesse melhorar. Ela fazia ou dizia qualquer coisa para poder se livrar dos exercícios. Mesmo que uma sessão estivesse progredindo bem, ela, às vezes, parava repentinamente e dizia:

— Estou cansada. Quero me sentar.

— Vamos repetir esse exercício mais algumas vezes — eu dizia, sem ceder à pressão dela.

— Eu não quero! Pare de mandar em mim! Você não joga limpo!

Às vezes ela estava trabalhando com exercícios de movimento e coordenação na piscina, para logo em seguida parar com os exercícios e anunciar:

— Estou indo para a banheira quente.

Se eu fosse o responsável pela terapia de Krickitt, nunca permitiria a ela que chegasse perto de uma banheira quente. É desnecessário dizer que eu estava apostando muito na estratégia do "amor exigente". Seus pais e a equipe médica de Barrow eram um pouco mais compreensivos. Eles faziam o que podiam para equilibrar as exigências que Krickitt fazia com aquilo que sabiam de que ela precisava. Mas Krickitt não tinha o menor pudor em tentar manipular as pessoas.

Uma das poucas coisas que Krickitt realmente gostava era da comida, e o alimento preferido dela era iogurte. Nós usávamos essa informação como um incentivo para que ela fizesse as coisas que não queria fazer, porque, geralmente, era possível suborná-la com um pote de iogurte gelado. De qualquer forma, ela não estava autorizada a manipular os sentimentos de culpa das pessoas que, ela imaginava, pudessem resistir aos seus encantos e fazê-las trazer o iogurte quando ela não o merecia. Ela não tinha sucesso quando tentava usar estratégias.

Eu não consegui estabelecer mais do que uma amizade casual com a minha esposa, independentemente do que eu fizesse ou do quanto me esforçasse. Quando tentava jogar vôlei com ela, ela desistia no meio do jogo. Quando saíamos para correr juntos, seus comentários e queixas tornavam-se cada vez mais agressivos e pessoais. Eu não sabia o que esperar no dia seguinte. Em um minuto, ela era amigável, carinhosa e sorridente. Em seguida, em um instante, se eu dissesse alguma coisa de que ela não gostasse, ela olhava para mim e gritava: — Me deixe em paz! Eu nem sei quem você é!

Certa tarde, ainda magoado depois de uma resposta cortante que Krickitt havia me dado naquele dia, entrei na sala de fisioterapia e a encontrei deitada de bruços sobre o carpete, com a cabeça levantada e o queixo apoiado sobre as mãos, movendo os pés alternadamente para cima e para baixo. Ela estava tranquila e pensativa.

— No que está pensando, Krick?

Ela virou o rosto na minha direção, ainda com o queixo apoiado sobre as mãos, e depois desviou o olhar. Em seguida, balançou a cabeça negativamente.

— A vida é tão confusa — disse ela, lentamente. Depois, voltou a olhar para mim enquanto perguntava:

— Somos realmente casados?

— Somos casados realmente, Krickitt. Eu amo você.

O silêncio seguiu mais um aceno negativo de cabeça.

Seria aquela a nossa nova realidade? Eu poderia muito bem estar esperando por algum tipo de recuperação ou reconciliação que nunca chegaria a acontecer. Ao sair da sala, eu pensei: "Será que este é o fim? Talvez a situação não consiga ficar melhor do que isso". Pela primeira vez eu me permiti, verdadeiramente, considerar o fato de que a minha esposa nunca mais voltaria a ser a pessoa que era antes do acidente, a pessoa por quem eu me apaixonara. Muito possivelmente, a mulher com quem me casara não existia mais.

Nós sabíamos que a recuperação mental de Krickitt poderia chegar ao fim a qualquer momento. "E se isso acontecer antes que ela se lembre de mim?", era o que eu pensava comigo mesmo, várias e várias vezes, sem parar. De certo modo, a ideia de que a minha esposa nunca voltaria a se lembrar de mim e nunca voltaria a ser a mulher com quem me casara era mais difícil de lidar do que com a morte. Se Krickitt tivesse morrido no acidente, nossa vida a dois teria chegado ao seu final de forma clara. Eu sentia que poderia haver lidado com aquela situação porque eu entendia o que a morte representava. Em vez disso, o que eu tinha nas mãos era algo completamente desconhecido para mim: a vida em um mundo distante e nebuloso no âmbito emocional, espiritual e interpessoal, no qual minha esposa ainda estava ao meu lado, mas, ao mesmo tempo, não estava.

Por vezes, imaginava o que teria acontecido com as nossas vidas caso aquele acidente nunca tivesse acontecido. Eu pensava e sofria por todos os sonhos e desejos que, agora, poderíamos nunca mais ver realizados. Mas também me dei conta de que tínhamos uma chance de construir um novo futuro juntos. Minha esposa ainda estava comigo. Ela ainda poderia ter uma vida. Nós poderíamos ter uma vida. Mas eu tinha que aceitar o fato de que não seria a vida pela qual eu ansiava. Por mais difícil que fosse, eu sabia que havia algum propósito nisso que eu não conseguia identificar.

Quando Krickitt completou seu primeiro mês em Barrow, os médicos começaram a nos dizer que ela logo poderia receber alta para viver com seus pais e continuar a terapia em regime de ambulatório. Krickitt ficou muito feliz com a notícia, tanto pelo fato de que poderia passar mais tempo com a sua família quanto por saber que passaria menos tempo em contato com seu fisioterapeuta, que ela ainda pensava estar pressionando-a demais.

No dia 13 de janeiro de 1994, quase sete semanas depois do acidente, Krickitt se mudou para a casa de seus pais em Phoenix. Aparentemente, ela gostava de ter coisas familiares por perto: seus almanaques com as fotos dos colegas da faculdade, álbuns de fotografias, *scrapbooks*, os móveis que encheram sua casa quando criança e pequenos objetos que lhe faziam lembrar da infância. Sua mãe lhe mostrou algumas fotos preliminares do nosso casamento, enviadas pelo fotógrafo antes de montar o álbum. Elas haviam sido enviadas para Gus e Mary enquanto estávamos nos instalando em Las Vegas, e tínhamos a intenção de olhar para elas enquanto estávamos em Phoenix, no dia de Ação de Graças, para escolher aquelas que queríamos que aparecessem em nosso álbum de casamento.

Estávamos sentados lado a lado no sofá enquanto Krickitt observava as fotos do nosso grande dia. Tinha todas as características de um casamento tradicional: Krickitt em seu elaborado vestido de casamento, eu com um fraque branco, e o frontão da igreja estava todo iluminado com velas. Os pais dela, assim como eu, esperavam que ver aquelas fotografias lhe devolveria mais algumas daquelas memórias episódicas, e também faria com que ela pudesse se lembrar de alguns outros detalhes. Ela se reconheceu como a noiva que aparecia em todas as fotografias, mas aquilo foi tudo. Ela ainda não tinha qualquer conexão emocional comigo... nem qualquer vontade de criar uma.

Entretanto, Krickitt ainda estava interessada em sua fé. Embora ainda estivesse mentalmente confusa na maior parte do tempo, sentia a ausência da comunicação direta com Deus em sua vida. Saber que minha esposa não me conhecia, mas queria aproximar-se de Deus foi uma sensação, ao mesmo tempo, doce e amarga para mim.

Assim, a montanha-russa emocional continuou seu percurso. Um dia eu estaria transbordando de alegria porque Krickitt havia conseguido percorrer uma distância, na esteira, maior do que nos dias anteriores, ou quando lia alguma coisa que não conseguira ler no dia anterior. No dia seguinte eu voltava a cair no abismo do desespero, porque ela havia me insultado mais uma vez por pressioná-la na terapia ou porque outros objetos que ela deveria reconhecer, uma foto, um nome, uma carta, um objeto guardado como *souvenir*, não conseguiam lhe trazer qualquer lembrança de nossa vida a dois.

Quando Krickitt voltou para a casa de seus pais, eu já não trabalhava há dois meses. Meu trabalho era a última coisa na qual eu pensava. Noite e dia, tudo que eu conseguia pensar era em como conseguiria ajudar Krickitt a melhorar. Eu ainda estava sendo pressionado pela administração da Highlands, e os treinadores-assistentes do time de beisebol estavam se preparando para os treinos da primavera sem que eu estivesse com eles. Meus pais e meus sogros, no entanto, estavam convencidos de que a melhor coisa que eu poderia fazer naquele momento era voltar à minha vida normal no Novo México. Eles sugeriram que eu voltasse para o nosso apartamento em Las Vegas, voltasse a trabalhar com meu time de beisebol e que a minha prioridade fosse restaurar um pouco de normalidade à minha vida. No começo fui totalmente contra a ideia de abandonar Krickitt. Porém, quanto mais eu conversava sobre o assunto com os nossos pais, mais eu concordava que aquilo era a coisa certa a fazer, tanto para Krickitt quanto para mim.

Liguei para Gilbert Sanchez e lhe disse que estava pronto para voltar ao trabalho.

— É claro que o queremos de volta, mas não até que você esteja pronto. Não precisa se apressar — disse ele.

— Eu já passei tempo o bastante longe, e estamos todos prontos para começar a levar as coisas de volta para o rumo normal. Eu quero que os Highlands Cowboys tenham um bom começo de temporada, e quero fazer parte disso.

Os motivos que eu aleguei para voltar ao trabalho eram todos válidos e verdadeiros. Mas eu não informei ao presidente Sanchez as motivações mais profundas do meu retorno à Highlands. O principal fator motivador, por trás do meu retorno à posição de treinador e técnico do time, era que eu precisava estar em um lugar onde a vida fosse mais previsível, uma situação onde eu pudesse exercer maior controle. Eu havia chegado em um ponto em que realmente acreditava que deveria deixar nas mãos de Deus e que aquilo não dependia de eu estar em Phoenix ou em Las Vegas. Krickitt estava com seus pais, pessoas de quem ela se lembrava e amava, e eles cuidariam muito bem dela. Ela não precisava que eu estivesse 24 horas por dia ao seu lado. Havia chegado a hora de eu voltar para casa e preparar o lugar para ela.

Primeiro de fevereiro seria o dia em que eu estaria oficialmente de volta ao *campus*, mas fui rapidamente até lá alguns dias antes para preparar o meu retorno. Enquanto estava lá, tentei não chamar muito a atenção, pois seria uma visita curta. Eu logo estaria de volta definitivamente e poderia ver e conversar com todos. Enquanto estava no vestiário da universidade, vi um panfleto feito à mão, no qual pediam doações para ajudar a Krickitt e a mim. Obviamente, alguém na escola havia organizado um apelo para nos ajudar a custear as despesas. Não havíamos dito nada sobre as despesas médicas, que já eram astronômicas, mas qualquer um poderia ter adivinhado que o tratamento custaria muito caro. Fiquei muito emocionado pela generosidade das pessoas de Las Vegas. Era uma comunidade em que as pessoas tinham muito pouco para dar; mesmo assim, eles estavam dispostos a fazer sacrifícios por nós. Eu não sabia exatamente o que elas iriam fazer, mas não contei que já sabia de seus esforços em nosso benefício. Fui uma última vez para Phoenix, me despedi de Krickitt e de seus pais e voltei para Las Vegas definitivamente. Fiquei emocionado e maravilhado com a recepção que tive. Quando cheguei ao nosso apartamento, eu o encontrei totalmente limpo e brilhando, e havia também um jantar quente no forno. No treino do dia seguinte, os jogadores e os outros técnicos foram muito atenciosos e gentis. Embora eu os tivesse deixado sem alguém que coordenasse as atividades por mais de dois meses, eles não ficaram irritados, e não se sentiram abandonados. Todos queriam apenas que Krickitt e eu melhorássemos. Foi um testemunho maravilhoso do valor de grandes amizades.

Depois daquele primeiro treino, alguns dos jogadores vieram até mim e disseram que havia pessoas que gostariam de conversar comigo. Percebi que havia chegado o momento de descobrir a surpresa da ação de caridade: segui os rapazes até passarmos ao redor de um dos prédios, onde um grupo de amigos, membros da comunidade e colegas de trabalho me cumprimentaram.

Enquanto me esforçava para parecer surpreso, uma das mulheres deu um passo adiante.

— Queremos que fique com isso — disse ela, me entregando um pote imenso, cheio de dinheiro. Eu não precisava mais fingir que estava surpreso, porque realmente estava embasbacado. Havia muito dinheiro naquele pote. Durante semanas, aquele grupo havia vendido biscoitos e bolos, organizado rifas e pedido doações em dinheiro para que eu pudesse voltar a Phoenix para estar ao lado de Krickitt, vez ou outra. Havia cheques naquele pote dados por pessoas que, como eu sabia, mal tinham dinheiro para suas próprias despesas, e menos ainda para custear as minhas. Havia também doações feitas por juízes e outras figuras importantes da cidade. Ao todo, era o bastante para dez viagens de ida e volta entre Albuquerque e Phoenix.

Eu rapidamente tracei um plano ambicioso para poder estar em Phoenix durante alguns dias a cada semana. Na manhã de cada segunda-feira, eu fazia um percurso de duas horas, indo do nosso apartamento em Las Vegas para o aeroporto de Albuquerque. Lá, tomava um avião para Phoenix, e ficava com Krickitt até a noite de quarta-feira. Na quinta-feira, pegava o voo das 5h30 da manhã para voltar a Albuquerque, dirigia mais duas horas de volta a Las Vegas e voltava a tempo de me aprontar para os treinos do dia com o time, em preparação para os jogos do fim de semana. Era eu quem dirigia o ônibus quando o time viajava para enfrentar equipes de outras cidades, o que significava que, em certos domingos, eu voltava para o nosso apartamento bem depois da meia-noite.

Logo percebi que aquele plano não funcionaria no longo prazo. Eu já não conseguia dormir muito devido a todo o estresse e às minhas dores nas costas. O calendário de visitas a Krickitt, por sua vez, era muito pouco prático e me dava ainda menos tempo para descansar.

Ao mesmo tempo, as ligações das agências de cobrança estavam começando a sair do controle. As despesas médicas de Krickitt, isoladamente, já passavam dos 200 mil dólares. E havia as minhas próprias despesas médicas, o custo do tratamento de reabilitação pelo qual Krickitt estava passando e outros gastos, como a compra de um novo carro para substituir o nosso. Tudo aquilo fez com que o total dos débitos ficasse ainda maior. Naquele ponto, já sabíamos que não teríamos uma relação tranquila com a nossa companhia de seguros. Eu havia entrado em contato com eles logo depois do acidente, mas eles deixaram claro que eu não receberia o dinheiro que precisaríamos para pagar as agências de cobrança dentro do prazo que tais agências exigiam. Aquilo significava a possibilidade de enfrentar um processo jurídico apenas para forçar a seguradora a pagar o dinheiro que pensávamos ter direito por conta do contrato de seguro. Por sua vez, também significava que teríamos que contratar advogados e nos afundar ainda mais em dívidas.

Para piorar ainda mais as coisas, por mais que eu ansiasse pelas visitas que fazia a Krickitt, sua atitude em relação a mim estava ficando cada vez pior. Nas tardes de segunda-feira, eu ia direto do aeroporto para Barrow para ajudá-la com sua terapia. Às vezes, ela me cumprimentava de maneira amigável quando eu chegava e, em outras vezes, simplesmente fazia algum ruído enquanto olhava para mim rapidamente antes de continuar com o que estava fazendo.

No fundo do meu coração, eu queria muito que Krickitt melhorasse, mas estimulá-la a fazer isso era um risco. Como acontecia com qualquer coisa que eu fizesse naqueles dias, eu nunca sabia como ela reagiria. No entanto, minha experiência como treinador havia me ensinado que era preciso pressionar as pessoas para que elas conseguissem desenvolver todo o seu potencial, pois elas nem sempre percebem até onde podem ir, algo que o treinador percebe. Assim, eu pressionava Krickitt porque pensava que aquilo era o melhor a fazer por ela. Entretanto, qualquer estímulo um pouco mais incisivo poderia não resultar na reação desejada, enquanto um segundo estímulo poderia desencadear uma torrente de fúria.

— Pare de me mandar fazer essas coisas! Me deixe em paz! — ela gritava para mim.

— Estou apenas tentando ajudá-la a melhorar — eu voltava a explicar. — Você quer melhorar, não quer?

— Eu odeio você! Por que não volta para Las Vegas, ou qualquer que seja o lugar de onde você veio? — dizia a minha esposa para mim.

— Porque eu me importo com você, e porque a amo.

Certas vezes, a expressão dela se congelava em um olhar amargo e ressentido, e ela virava o rosto sem dizer qualquer outra palavra. Parecia que aquele tipo de conversa nunca mais terminaria.

Em quase todas as quintas-feiras, ao tomar o avião para retornar a Albuquerque, eu olhava para o deserto conforme o sol surgia à minha frente. O brilho suave do nascer do sol sempre me lembrava do brilho que encheu a igreja quando eu observava a mulher dos meus sonhos entrando pelo corredor iluminado com velas. Ali, de mãos dadas em frente às nossas famílias e todas as pessoas que amávamos, nós dois fizemos um juramento. A mulher que eu amava mais do que qualquer outra olhou bem nos meus olhos e proclamou em uma voz clara e confiante:

"O dia de hoje finalmente chegou, o dia em que lhe darei minha mão em casamento. Eu me sinto honrada em ser a sua esposa. Sou toda sua, Kimmer. E eu amo você."

Mas ela não mais sentia-se minha esposa. Ela não queria mais ser minha. No estado de desorientação em que se encontrava, não sabia o que realmente queria. Eu achava que ela não sentia mais amor por mim. Alguns meses após o nosso casamento, a mulher que eu amava aparentemente me odiava. E aquilo estraçalhava meu coração.

seis

Uma nova realidade

Independentemente dos sentimentos que minha esposa tivesse por mim, eu ainda a amava. E estava determinado a manter o juramento que havia feito, de ser fiel e me devotar a qualquer necessidade que ela tivesse. Embora fosse exaustivo fisicamente e emocionalmente, continuei a viajar semanalmente de Las Vegas a Phoenix para ficar ao lado de Krickitt e encorajá-la durante o tratamento. Eu me tornara quase implacável na minha tentativa de pressioná-la para atingir o topo de sua condição física. Quando estava com ela na sala de fisioterapia, não havia mais qualquer sinal do marido. Apenas do técnico esportivo.

Eu sabia que Krickitt não gostava das coisas que eu fazia. Ela as odiava, e não tinha qualquer pudor em me dizer o quanto. Algumas vezes, ela agia de forma mais tranquila e amistosa, mas, quanto mais a pressionava, para que ultrapassasse seus limites, mais ela gritava e se irritava comigo. Ela ainda agia e reagia como uma criança e, às vezes, acabava usando uma linguagem muito pouco educada.

Os médicos me avisaram que ela poderia ficar muito desinibida, e havia momentos em que a palavra "desinibida" não era suficiente para descrever seu comportamento. Eu tive que aprender a esperar o inesperado. Mesmo que houvesse outras pessoas na sala, ela ocasionalmente expressava pensamentos inapropriados ou me agarrava sem qualquer motivo. Quando eu resistia, ela dizia algo como "Você não me ama mais. Você não me ama porque eu sou deficiente!"

Tenho que admitir que uma parte de mim desejava ter o aspecto físico do nosso relacionamento de volta, mas aquela situação era muito estranha do ponto de vista emocional; naquele momento, eu a considerava mais como uma filha do que como uma esposa. Estranhamente, algumas horas depois, ela poderia voltar a dizer que me odiava. As emoções de Krickitt eram tão instáveis que praticamente qualquer coisa poderia acontecer, a qualquer momento.

Os médicos de Krickitt pensavam que uma visita ao nosso apartamento em Las Vegas poderia ajudar a resgatar algumas memórias. Krickitt e sua mãe viajaram de Phoenix a Albuquerque, e meus pais foram buscá-las no aeroporto para o grande evento. Mesmo sem a certeza de que algo poderia acontecer, todos esperávamos que, quando Krickitt entrasse em nossa casa, ela, repentinamente, se lembrasse de tudo e voltasse a ser a mulher que era antes do acidente.

Quando chegamos ao apartamento naquele dia, Krickitt estava agindo de forma amigável, mas parecia como se não tivesse qualquer interesse. Sua mãe me disse que, quando chegaram, as duas andaram pela sala de estar, observando a mobília, as fotos nas paredes e os livros na estante. Mary disse que Krickitt não demonstrou qualquer emoção. Enquanto estava no meio da sala, olhando ao redor, ficou óbvio que ela não se lembrava de nada.

Krickitt perguntou como era o desenho estampado no conjunto de porcelanas que havia comprado. Sua mãe lhe entregou um prato.

Krickitt o trouxe para perto do rosto, e depois o deixou em cima da mesa.

— É bonito — disse ela, lacônica. Ela não se lembrava do desenho que havia escolhido cuidadosamente depois de pesquisar muito, e depois de pedir conselhos a sua mãe e várias amigas.

Enquanto a levava para conhecer os outros cômodos, eu fazia perguntas sobre várias coisas que poderiam trazer alguma memória: fotos em que nós dois aparecíamos juntos, móveis que havíamos escolhido juntos. Nada funcionava. Minha esposa era uma estranha em nossa própria casa.

Os médicos de Krickitt sugeriram também que ela assistisse ao vídeo do nosso casamento. Eles esperavam que aquilo pudesse reativar alguma lembrança de sua vida de casada. Quando eu pedi a ela que assistisse ao vídeo comigo, ela concordou. Nós nos sentamos juntos no sofá e assistimos a toda a cerimônia. Eu podia sentir que ela sabia que aquilo era muito importante para mim, queria que ela se lembrasse de alguma coisa, qualquer coisa que houvesse acontecido no evento. Ela tentou não me desanimar.

— Aquela mulher com o vestido de noiva no vídeo sou eu — disse ela, pensativa, — mas não consigo sentir qualquer ligação com ela. Não sei o que ela está pensando ou sentindo. Eu vejo vocês dois trocando votos, mas é como se eu estivesse assistindo ao vídeo do casamento de um amigo. Não sei o que a mulher na tela está pensando.

Não havia qualquer emoção em sua voz enquanto ela falava sobre o nosso casamento, e percebi que não havia qualquer sentimento por mim em seu coração.

Algumas semanas depois, eu estava em Phoenix ajudando Krickitt com sua terapia, como de costume. O que não fazia parte do costume foi que, depois da sessão, seu fisioterapeuta me perguntou se eu gostaria de ajudá-lo a treinar um time de basquete formado por garotos, depois que ele terminasse o expediente naquela tarde. Grato pela possibilidade de mudar um pouco a rotina, aceitei o convite de Scott.

O tempo que passei com ele foi uma benção. Durante duas horas, eu me esqueci completamente de que tinha uma esposa que não sabia quem eu era, de que tinha uma pilha enorme de contas de hospital a pagar e de que passava todos os dias e todas as noites da minha vida completamente exausto. Fiquei completamente imerso na estratégia do jogo e na tentativa de ajudar o time de Scott a melhorar seu rendimento.

Depois do jogo, fomos para a cantina do ginásio. Conversamos um pouco sobre o desempenho do time que ele comandava, e, após algum tempo, ele me trouxe de volta à realidade:

— Sei que você está ficando desanimado em relação à Krickitt. Honestamente, não consigo entender como você consegue prosseguir com tudo isso.

Ele sabia a verdade sobre a situação de Krickitt, e a minha também, assim, não hesitei em me abrir com ele.

— É difícil. Muito difícil — admiti. — Às vezes fico muito alegre quando parece que estamos fazendo progressos, quando penso que ela vai se lembrar de algo que ligue a vida dela à minha. Mas, em seguida, ela faz ou diz algo ofensivo, por achar que a estou pressionando demais na terapia, ou mesmo sem qualquer razão. E isso acaba me magoando demais. É o desafio mais difícil que já encarei como treinador.

— Nós podemos continuar a ajudar Krickitt. Fisicamente, ela está fazendo progressos incríveis. Se não tivesse uma condição física tão boa devido à experiência como ginasta, ela nunca teria chegado tão longe. Mas seu bem-estar é importante também, Kim. Krickitt precisa de uma pessoa forte, confiante e tolerante ao seu lado; você tem que ser essa pessoa para ela.

— Você tem razão. Mas é difícil pensar desse jeito quando conseguir cumprir as tarefas do dia frequentemente já parece ser uma tarefa impossível — eu disse.

— Deus não se esqueceu de você — comentou Scott, com tranquilidade.

Deitado na cama na casa dos Pappas antes de dormir, naquela noite, eu estava pensando nos conselhos de Scott. Talvez eu tivesse me esquecido de confiar meus problemas a Deus. Talvez, em meio a toda a exaustão e o desespero, eu não tivesse percebido a ferramenta mais poderosa de todas na recuperação de Krickitt.

Naquela noite, pensei sobre a primeira noite no hospital de Albuquerque, quando a pressão intracraniana de Krickitt estava aumentando a cada minuto e nós não sabíamos se ela conseguiria sobreviver. Durante aquelas horas de incerteza, senti que estava confiando cada vez mais a vida da minha esposa a Deus, num processo firme e gradual. O conselho de Scott, três meses mais tarde, foi um lembrete de que eu, realmente, devia colocar tudo nas mãos de Deus. Eu estava chegando em um ponto em que, por um lado, tinha esperanças de que tudo daria certo, mas, por outro, concluía que aquilo poderia não acontecer. Por mais doloroso que fosse aquele pensamento, eu me comprometi a continuar fisicamente por perto de Krickitt, pelo menos até o dia em que ela não precisasse mais do meu apoio e pudesse viver de forma independente. Naquele momento, perguntaria o que ela queria. Se os desejos de Krickitt não incluíssem a mim, eu atenderia o que ela quisesse e permitiria a ela que escolhesse seu próprio caminho. Eu sabia que havia feito um voto que duraria até que a morte nos separasse, mas também sabia que precisava manter uma perspectiva realista. Por várias vezes me questionei, querendo saber quando aquele momento chegaria. Eu sabia que seria um dia que teria que encarar e vivia com medo do possível resultado.

De tempos em tempos, havia sinais animadores de que Krickitt estava começando a aceitar sua nova vida. Certo dia eu estava conversando com sua mãe ao telefone, e ela mencionou que Krickitt dissera ao terapeuta que sentia "falta daquele rapaz que telefona e vem visitar toda semana". Fiquei muito feliz por ela ter se lembrado das minhas visitas e por, aparentemente, nutrir um desejo de passar mais tempo comigo, mesmo que não agisse realmente daquele jeito quando eu estava por perto.

Eu me esforcei para telefonar para Krickitt todos os dias em que não estava com ela. Entretanto, certa noite, não telefonei no horário habitual. Algumas horas depois, o telefone tocou, e aquilo me assustou. Quando atendi, era a mãe de Krickitt. Ela disse:

— Kim, há uma pessoa ao meu lado que quer conversar com você.

Eu fiquei em êxtase. Ela passou o telefone para Krickitt.

— Oi, aqui é Krickitt que está falando.

— Oi Krick. Sua ligação me deixou muito feliz.

Mais silêncio. Em seguida: — Bem, preciso ir agora. Tchau.

Aquelas foram as melhores palavras que eu ouvira por meses. Naquele exato momento, acreditei que conseguiríamos superar os problemas e que, no fundo, Krickitt sentia algo por mim, mas, simplesmente, não conseguia encontrar as palavras certas no telefone. Foi a primeira vez de várias outras que ela ligou, disse uma frase ou duas e depois desligou. Mas eu não me importava se as conversas eram curtas. Eram apenas mais confirmações de que a minha esposa nutria sentimentos por mim

Algumas semanas depois daquela primeira ligação, Mary me telefonou com outra boa notícia. Krickitt havia se olhado no espelho, concentrando-se no local onde seu crânio havia sido deformado no acidente. Ela tocou a reentrância enquanto a inspecionava, sentindo-a com a ponta dos dedos.

— Hummmmm — disse ela. — Talvez eu realmente tenha sofrido esse acidente.

Desde que Krickitt saíra do estado de coma pela primeira vez, ela vinha dizendo que se sentia como se estivesse num sonho, do qual todos nós fazíamos parte. Ela insistia que não houvera qualquer acidente e que nunca se casara. Ela acreditava que estava presa em um pesadelo e que, mais cedo ou mais tarde, conseguiria despertar. Sua reação em frente ao espelho foi a primeira indicação sólida de que ela estava começando a perceber que o "sonho" que ela vivia, afinal de contas, poderia ser o mundo real.

Perceber aquilo era um ótimo sinal e uma resposta às nossas orações, mas a próxima viagem de Krickitt a Las Vegas foi anticlimática.

Ela voltou ao nosso apartamento e olhou para tudo, assim como havia feito antes e não se sentiu tão perdida ou desorientada, mas não era por se lembrar de morar ali comigo. Ela se lembrava do lugar apenas por ter estado ali há algumas semanas. Assim, nós passamos novamente por todos os detalhes que ela havia inspecionado na primeira vez: as peças do conjunto de porcelana e também as fotos e o vídeo do casamento. Ela pareceu gostar de tudo, mas nada a ajudou a estabelecer uma ligação com seu passado.

Na segunda visita de Krickitt, a mídia mostrou nossa história pela primeira vez. Naquela sexta-feira, o jornal local *Daily Optic* publicou um artigo na seção de esportes sobre o jogo de beisebol que seria disputado naquele fim de semana. Eles explicaram que, em minha opinião, a minha esposa seria a torcedora mais importante nas arquibancadas.

"Antes do acidente, nós estávamos totalmente focados em vencer", publicou o jornal, baseado nas minhas declarações. "Foi necessário que algo devastador acontecesse para que eu percebesse que vencer não é tudo na vida. Até que alguém passe por uma situação como a que eu passei, essa pessoa não vai entender o que eu digo. Minha perspectiva sobre a vida mudou totalmente. Você passa a respeitar muito mais a vida. Minhas prioridades são um pouco diferentes agora."

Claro, aquilo era só o começo da descrição dos meus sentimentos.

A mãe de Krickitt havia voltado a Las Vegas para trazê-la, e, ao final da visita, quando estávamos no aeroporto antes que elas embarcassem, Mary se afastou de nós no portão, para que tivéssemos um momento a sós para nos despedirmos.

— Eu amo você, Krickitt — eu disse.

— Eu amo você também.

A boca dela falou, mas seus olhos não diziam nada. Ela me deu um rápido abraço, como o que ela daria em qualquer pessoa de quem gostasse. Enquanto nos abraçávamos, dei uma rápida olhada para a minha sogra, que estava do outro lado da sala de embarque. A dor e a decepção que eu vislumbrei no rosto dela, sem dúvida, eram as mesmas que ela podia ver no meu.

Krickitt finalmente progrediu até o ponto em que o Dr. Singh e o resto da equipe em Barrow decidiram estabelecer uma data para que ela recebesse alta definitiva do tratamento ambulatorial. Apesar da perda de memória, Krickitt estava animada por voltar a Las Vegas. E, embora ainda me tratasse de forma agressiva vez por outra, e sem qualquer aviso, nós estávamos definitivamente começando a reconstruir nosso relacionamento.

Por fora, Krickitt ainda tinha incertezas a respeito do relacionamento. Na verdade, ela nem sempre me aceitava como seu marido. Mas, eu não sabia disso na época, no fundo do seu coração, e em momentos de maior clareza mental, ela sabia que éramos casados e queria que o casamento desse certo.

Eis o que ela escreveu em seu diário naquela época: "... eu realmente quero voltar para Kimmer e fazer com que nossa nova vida volte a acontecer. Por favor, Deus, dê forças ao nosso casamento e torne-o ainda mais forte do que era no começo. Ajude-nos a nos aproximar mais. Que eu me torne a garota que era, e também aquela que o Senhor quer que eu seja".

Embora eu não soubesse o que se passava na mente ou no coração de Krickitt, eu sabia que ela, agora, sentia saudades de mim nos dias em que eu não telefonava ou visitava. Havia até mesmo vezes em que ela realmente gostava de estar comigo e nós parecíamos estar progredindo como casal. Eu me apegava fortemente a esses momentos, e tentava freneticamente descobrir o que os fazia funcionar tão bem, de modo que eu pudesse criar mais momentos como aqueles posteriormente.

Conforme a data em que Krickitt receberia a alta se aproximava, nós dois sentíamos o peso de não saber se ela teria permissão para deixar o programa e voltar para Las Vegas. Eles tomaram nota dos progressos incríveis que ela havia feito e escreveram no relatório: "Ela está ansiosa para retornar à casa do seu marido no Novo México". Embora ela tivesse dado largos passos no caminho da recuperação, ainda tinha algumas limitações físicas. Por exemplo, ainda não tinha condições de recuperar sua carteira de motorista, porque tinha problemas intermitentes de visão. Mesmo assim, no fim, todos aprovaram a sua alta, e, em 14 de abril de 1994, Krickitt voltou para casa.

Quatro dias depois, nós celebramos o aniversário de sete meses de casados. Naquele ponto, Krickitt havia passado dois terços de nossa vida de casados como paciente em hospitais, e eu havia passado os mesmos dois terços dessa vida imaginando se a minha esposa conseguiria se lembrar de que ela havia, realmente, se casado comigo.

Embora eu tentasse me preparar para o retorno de Krickitt à vida no Novo México, não demorou até eu perceber que nossa vida a dois era um desastre em progresso. Não conseguíamos relaxar quando estávamos perto um do outro. Embora ela sentisse saudades de mim quando estávamos longe um do outro, ela nem sempre aceitava que éramos casados, e não sabia como viver como um dos membros de um casal.

Alguns dias depois de voltar para casa, eu a encontrei em pé no meio da cozinha, com um olhar confuso no rosto. Perguntei no que ela estava pensando.

Depois de levar um minuto para formular a frase, ela disse: — Como eu fazia para ser sua esposa?

Perguntei o que ela queria dizer com aquilo.

— Você sabe, as coisas que uma esposa faz. Eu cozinhava para você? Preparava seu almoço? Acenava quando você saía de casa pela manhã? Não sei o que devo fazer. Estou muito confusa. Eu sei que estamos casados. Sei que gosto de você e sinto saudades quando você não está por aqui. — Ela parou por um momento antes de prosseguir. — Sei que você é fiel. Você sempre esteve comigo quando precisei de você. Eu sei de tudo isso, eu sei. Mas não sei nada sobre estarmos casados. Eu gostaria de saber, mas não sei.

Quando eu saía para trabalhar de manhã, não tinha outra alternativa a não ser deixar Krickitt sozinha no apartamento. Ficava preocupado com aquela situação, porque me lembrava de que ela sempre queria sair do hospital em Phoenix para caminhar pelas ruas. Receava que ela saísse para caminhar e que se perdesse no caminho.

— Prometa que não vai sair de casa e se perder — eu disse.

— Eu prometo — disse ela, tranquilamente.

Um ou dois dias depois, tivemos uma discussão, e, antes que eu percebesse, ela havia saído pela porta. Eu a encontrei a quase um quilômetro de distância. Ela havia encontrado um telefone público e ligou para sua mãe.

— Você me prometeu que não sairia de casa — eu disse a ela firmemente quando voltamos para o apartamento.

— Eu não posso lhe prometer nada! — gritou ela. Em seguida, correu para o quarto e bateu a porta.

— Krickitt! — gritei.

— Vá embora! Eu odeio você! — ela gritou. Logo depois, eu a ouvi se dissolvendo em um choro convulsivo, carregado de frustração e raiva. Eu me afastei e esperei até que ela se acalmasse.

E foi assim que aconteceu. Nós tínhamos momentos de carinho, companheirismo e reconstrução que eram, repentinamente, interrompidos por variações explosivas de humor, típicas de uma adolescente rebelde. Havia momentos em que ela perdia completamente o controle, rapidamente seguidos por períodos de medo e confusão em relação ao seu comportamento.

Embora as coisas estivessem tumultuadas em casa, eu estava aliviado por não ter mais que fazer as viagens semanais para Phoenix. Permanecer em um mesmo lugar me dava a oportunidade de voltar, definitivamente, às minhas atividades como treinador e me concentrar na construção de um time vencedor. Eu precisava que em algum aspecto da minha vida eu fosse bem-sucedido, como nunca precisei antes.

O lado negativo era que não havia qualquer lugar onde eu pudesse ir para escapar da pressão. Como a minha vida em família havia se transformado em um desastre, ficava cansado e estressado demais para ser o técnico que meu time precisava e merecia. Krickitt estava melhorando, do ponto de vista clínico, mas nosso relacionamento estava em ruínas. Estávamos morando juntos, mas não como marido e mulher. Nossas interações ainda eram muito parecidas com a relação que há entre um pai e uma filha ou entre um treinador e um atleta.

Naqueles dias, Krickitt perdia a calma por motivos insignificantes. Ela esquecia em que lugar da casa havia colocado as coisas. Era raro conseguir passar um dia sem quebrar alguma coisa. Ela se cansava facilmente. Como ainda não podia dirigir, ficava entediada por ter que passar o dia inteiro dentro de casa. Quando estava conversando comigo ou outras pessoas, ela às vezes ria quando pretendia chorar, e frequentemente interrompia outras pessoas enquanto estavam falando para contar uma outra história, longa e sem qualquer relação com o assunto sendo discutido.

Era como se eu estivesse vivendo com duas mulheres que habitavam o mesmo corpo. Uma era doce e gentil, fazendo tudo o que podia para reconstruir nossa vida de casados. A outra era uma adolescente mal-humorada com acessos de fúria, que não se importava com o fato de que suas palavras me magoavam.

Eu sabia que Krickitt provavelmente ainda sentia dores físicas, porque eu ainda sentia as minhas, e ela havia sofrido ferimentos muito mais graves do que os meus. Minhas costas ainda me incomodavam, mas os problemas físicos não eram os mais importantes. Eu havia sido diagnosticado com estresse pós-traumático. De acordo com os médicos, aquela era uma das principais razões por trás da minha tensão constante e da impossibilidade de relaxar. Eles me receitaram antidepressivos, analgésicos e comprimidos para dormir potentes para que eu conseguisse suportar os dias, um após o outro.

Como se a vida em casa não estivesse complicada o bastante, também estávamos afogados em contas a pagar, ligações de empresas de cobrança e conversas com o nosso advogado. Desde que as empresas de cobrança começaram a telefonar, poucas semanas após o acidente, várias empresas de planos de saúde e suas agências de cobrança mantinham uma rotina diária de telefonemas e cartas. Descobrimos que o outro motorista não tinha seguro para o caminhão, e, assim, todas as despesas recaíram sobre a nossa seguradora. E eles ainda não estavam cooperando.

As portas estavam se fechando. Eu me sentia impotente para fazer qualquer coisa que me ajudasse a recobrar o controle da minha vida. Era demais para mim. Mas nem tudo estava perdido.

Parte da solução veio de meu supervisor imediato em Highlands, o diretor de atletismo Rob Evers. Rob não era apenas um colega de trabalho, mas também um bom amigo. Ele havia me encorajado a ficar com Krickitt em Phoenix, enquanto ela estava internada em Barrow, e preservou o meu cargo na universidade mesmo que eu não soubesse quando voltaria ao trabalho. Ele sabia sobre as minhas dificuldades físicas e emocionais durante a época das viagens entre Las Vegas e Phoenix, e agora estava assistindo de perto à minha batalha para treinar, eficientemente, meu time de beisebol enquanto aprendia a lidar com minha nova vida.

Vários meses depois que Krickitt voltou para casa, Rob me pediu que fosse conversar com ele em seu escritório. Quando me sentei, ele olhou para mim com uma expressão de compaixão e, ao mesmo tempo, de autoridade. Ele me disse que eu precisava de aconselhamento psicológico.

— É Krickitt que está com problemas, não eu — insisti.

— Não estou preocupado com Krickitt. Ela tem muitos médicos e terapeutas para acompanhar seu progresso. Ela recebeu a melhor terapia possível. Acima de tudo, Kim, ela tem a você para amá-la e cuidar dela. Mas quem é que está cuidando de você?

— Eu vou ficar bem. As coisas estão melhorando, Krickitt está progredindo com o tratamento, e eu me sinto bem. De verdade — respondi.

Rob não se convenceu com a minha resposta. — Kim, eu venho observando a maneira como você lida com o time. Ninguém questiona seu comprometimento com a equipe ou a paixão que você tem pelo beisebol. Mas você precisa de ajuda. Precisa de aconselhamento psicológico, e precisa disso agora. Se você se recusar, vou suspendê-lo de suas funções até você concordar.

Eu respondi com alguns insultos e palavras duras, tomado pela raiva. Comecei a ficar ressentido, mas, ironicamente, estava recebendo minha própria dose de "amor exigente".

Rob concordou em me dar alguns dias de licença para pensar no caso. No fundo, eu sabia que ele tinha razão; eu simplesmente não queria acreditar naquilo. Queria ser forte para todas as pessoas que confiavam e dependiam de mim. Meu time precisava de um técnico que podia se concentrar e levá-los à vitória. Minha esposa precisava de um marido em quem pudesse confiar e que estaria ao seu lado para apoiá-la. Eu não queria aceitar que estivesse perdendo terreno em ambas as frentes, a cada minuto que passava. E para completar a situação, a última coisa que eu precisava era aumentar ainda mais as minhas despesas de saúde. Mesmo assim, o assistente social com quem pediram que eu conversasse me garantiu que o plano de saúde da escola cobriria as minhas sessões de aconselhamento.

No final, tomei a dura decisão de deixar o cargo de técnico do time de beisebol. Naquele ponto, eu não conseguia me dedicar à minha esposa e ao meu trabalho, dando-lhes a necessária atenção. E o meu comprometimento com Krickitt era a primeira entre as minhas prioridades. Afinal, eu havia jurado que estaria ao seu lado por toda a vida e sabia o que deveria ser feito, se fosse para aquele relacionamento funcionar. Não havia feito uma promessa daquelas para o meu time, mas também sentia que estava decepcionando aqueles garotos, embora eu não tivesse realmente escolha.

Eu sentia que havia tomado a decisão certa, e me empenhei no meu novo trabalho: cuidar de Krickitt. Infelizmente, uma das minhas primeiras tentativas de me dedicar mais a ela durante o tempo que passávamos juntos deu errado. No fim de semana seguinte à minha saída da Highlands, nós dois fomos a um jogo de beisebol dos Cowboys e assistimos à partida nas arquibancadas. Durante o jogo, ocorreu uma briga no meio do campo envolvendo todos os jogadores dos dois times, inclusive os reservas. Ver aquilo deixou Krickitt confusa e irritada. Para piorar as coisas para mim, o técnico do time adversário me disse que, se eu estivesse no campo, fazendo o meu trabalho como deveria, a briga nunca teria ocorrido. Mesmo assim, embora outros obviamente questionassem a minha decisão, eu sabia que era a coisa certa a fazer por Krickitt e por mim mesmo.

Quando o verão chegou, Krickitt havia se recuperado o bastante para voltar a trabalhar novamente, mesmo que em meio período, como técnica em exercícios no mesmo centro de boa forma física do hospital onde ela trabalhava antes do acidente. Aquele foi um passo importante, porque lhe deu a oportunidade de ser responsável por alguma coisa novamente e de ter algo em sua vida sobre a qual pudesse exercer algum controle. Quando ela começou, vestígios da velha Krickitt apareceram. Ela ainda tinha noção de suas responsabilidades, estava sempre preparada para o trabalho e era sempre pontual. Era tão bom poder ver a minha esposa de volta ao cenário típico de sua vida como esportista, cercada por equipamentos de academia, aparelhos de ginástica e pesos. Estava orgulhoso pelo quanto ela havia progredido. Mas, enquanto Krickitt ficava mais autossuficiente, nosso relacionamento entrava em uma forte trajetória descendente. Quando eu pensava que nossa vida a dois não poderia ficar mais imprevisível e estressante, as explosões de ódio de Krickitt, em relação a mim, ficaram mais brutais do que nunca.

Uma das minhas lembranças mais claras daquele período vem de um momento em que estávamos num lava-rápido. Enquanto estávamos na saída, esperando que o carro saísse do túnel, começamos uma discussão. Em poucos segundos já estávamos aos gritos. Krickitt atirou a garrafa de água que tinha nas mãos em mim e, quando percebi, ela já estava correndo pela calçada para bem longe. Eu ainda não conseguia me mover muito rápido, mas levou apenas alguns minutos para que a alcançasse em uma lanchonete, onde, novamente, a encontrei chorando e conversando com sua mãe ao telefone.

Em outro dia particularmente ruim, estávamos em meio de uma discussão acalorada quando ela pegou um garfo que estava sobre a mesa atrás dela, girou sobre os calcanhares e o arremessou. O garfo se fincou na parede ao meu lado.

— Me deixe em paz! Eu odeio você!

Eu já tinha ouvido aquelas palavras mais de mil vezes, mas desta vez eu não estava preocupado com as palavras dela. O problema eram suas ações.

— Krickitt, pare de agir assim! — eu geralmente tentava reagir à agressividade dela com calma, mas, desta vez, eu estava furioso. Se ela não tivesse uma pontaria tão ruim, aquele garfo teria se fincado em mim e não na parede.

— Pare de me tratar como se eu fosse uma criança!

— Pare de agir como se fosse uma!

Os olhos da minha esposa estavam cheios de ódio. — Talvez eu devesse simplesmente cortar meus pulsos. — Aquilo foi a gota d'água.

— Há uma faca na cozinha — eu a informei, apontando naquela direção.

— Você acha que eu estou brincando, não é? Talvez eu me enforque.

— Há uma corda na traseira da caminhonete.

Krickitt disparou para fora do apartamento e bateu a porta atrás de si. Nos poucos segundos que eu levei para abri-la, Krickitt já havia desaparecido. Eu a encontrei, exausta e aos prantos, escondida atrás de um carro no estacionamento de outro conjunto de prédios, a alguns quarteirões de distância.

Eu a ajudei a voltar para casa, e nós ficamos sentados na sala de estar. Houve um longo período de silêncio.

— Eu sinto saudades da velha Krickitt — eu disse, finalmente.

— Eu também sinto saudades dela — respondeu a minha esposa. Eu me perguntava se ela tinha a mínima noção sobre quem era a velha Krickitt.

Algum tempo depois, vim a perceber que Krickitt estava tão frustrada quanto eu, mas não tinha a capacidade de demonstrar aquilo de maneira racional. Posteriormente li em seu diário: "Eu sei que não tenho condições de continuar assim, que não tenho forças para prosseguir sozinha. Preciso que Deus me guie e me ajude a cada dia. Eu rezo pelo bem do [nosso] casamento. Por favor, ajude-me e perdoe-me por todas as minhas frustrações".

Foi apenas uma questão de tempo até que pessoas bem intencionadas começassem a me perguntar, de forma indireta, mas sem qualquer sombra de dúvida, se eu chegaria a considerar o divórcio como uma opção. "Chegará uma hora em que você terá que desistir de tudo isso", diziam eles. Uma assistente social me disse que, quando uma pessoa casada sofre uma lesão debilitante na cabeça, a probabilidade de que haja um divórcio é de 80 a 90%. Alguém me disse que, se eu decidisse seguir por aquele caminho, aquilo me livraria da responsabilidade sobre as contas do tratamento médico de Krickitt. Seria uma maneira fácil de resolver vários problemas.

Eu tinha uma resposta simples para qualquer um que sugerisse o divórcio:

— Não. Isso nunca vai acontecer.

Simplesmente não era uma opção para qualquer um de nós. Não importava se Krickitt podia se lembrar de mim ou não, ou se cuidar dela tirasse cada centavo que eu tinha, ou mesmo se nós viéssemos a morar juntos ou em casas diferentes. A verdade pura e simples era que eu não conseguia enxergar a minha vida sem a mulher que eu amava, a mulher que eu havia jurado proteger em tempos de dificuldade e desafios.

Entretanto, ao mesmo tempo, sabia que nosso relacionamento não podia continuar naquela direção. Quanto mais Krickitt progredia fisicamente, pior eu me sentia, porque ao mesmo tempo em que ela melhorava, nós nos afastávamos emocionalmente cada vez mais.

Durante vários meses eu lutara contra uma ideia que não desejava compartilhar com ninguém. Como Krickitt não se lembrava de mim, eu me perguntava se a minha responsabilidade era realmente reestabelecer o nosso lar como marido e mulher da maneira como era. Afinal de contas, havia uma boa chance de que isso nunca viesse a acontecer. Em vez disso, eu acreditava, cada vez mais, que a minha tarefa como marido, que amava realmente sua esposa, poderia ser ajudar a restaurar sua independência, a um ponto em que ela pudesse viver o resto da sua vida sem precisar de ninguém. Especialmente se aquilo fosse a condição necessária para lhe trazer paz.

sete
Segundas chances

Um ano e meio após nosso acidente, eu finalmente havia aceitado o fato de que a minha esposa nunca voltaria a ser a pessoa que era antes do acidente. Ainda havia momentos em que eu vislumbrava rápidos indícios da mulher com quem havia me casado, imagens que surgiam por frações de segundo. Mas, ao mesmo tempo, aqueles vislumbres eram lembranças dolorosas da vida que eu havia perdido e que nunca mais viria a recuperar.

Krickitt nunca mais restaurou a memória do noivado, do casamento, da lua de mel, ou de qualquer aspecto de nossa vida anterior ao acidente. Na verdade, durante mais de um ano, ela nem sempre esteve ciente de que havia um período de tempo perdido por sua memória. Ela se sentia extremamente confusa, porque nem sempre sabia quem eu era, ou por que eu estava ali. Mesmo assim, na maior parte do tempo, estava vivendo comigo, como minha esposa.

Imagine como deve ter sido essa experiência para ela. O filme *Como se Fosse a Primeira Vez*[12] ainda levaria dez anos para ser produzido, mas qualquer pessoa que já tenha visto o filme pode ter uma ideia de como era a vida para Krickitt, em certos dias. Por sorte, diferente da mulher do filme, Krickitt conseguiu chegar ao ponto em que se lembrava, ao menos, de que não conseguia recordar de todas as coisas que aconteceram em sua vida.

Durante aquele tempo, Krickitt era lembrada constantemente, por seus amigos e familiares, de que era realmente casada comigo, e ela assistiu ao vídeo de nosso casamento e olhou para as fotos da nossa lua de mel cerca de 100 vezes. Ela estava lentamente percebendo que a vida não era um sonho ruim, do qual ela despertaria mais cedo ou mais tarde, e vivenciava uma nova realidade. E, por mais que me rejeitasse quando não conseguia se lembrar de que havia memórias que não conseguia acessar, ela sempre tinha a sensação de que eu estava lá, como seu protetor e companheiro. Ela sabia que havia algo especial em mim, pois eu sempre me esforçava ao máximo para estar com ela e ajudá-la e dizia: "Eu acho que, se me apaixonei por esse cara antes, provavelmente posso fazer isso novamente".

Continuei a me maravilhar por sua consciência espiritual e sua fé em Deus estarem milagrosamente intactas. Como seu irmão Jamey havia dito no início de seu processo de recuperação, ela tinha um núcleo de fé sólido como uma rocha dentro de si, algo que nem aquele acidente terrível conseguira afetar. Será que aquela fé poderia ser combinada de algum modo com sua fé em nosso casamento e encurtar a distância entre nós ou, pelo menos, impedir que essa distância continuasse a crescer?

Um mistério enorme para mim, ainda, era a dificuldade de saber no que Krickitt estava pensando de um minuto para outro. Suas flutua-

[12] Filme lançado em 2004, protagonizado por Adam Sandler e Drew Barrymore. (N. T.)

ções de humor eram bruscas e imprevisíveis. Francamente, nosso relacionamento, como um todo, era imprevisível. Eu não sabia mais como Krickitt era, e não sabia se seu verdadeiro eu, qualquer que fosse, estava representado por suas ações, ou se havia uma desconexão entre o que ela pensava e o que ela fazia. Eu me perguntava se, talvez, em sua cabeça, ela soubesse como devesse se comportar, como interagir comigo, como controlar sua raiva, como demonstrar carinho e como perdoar, mas não conseguisse colocar todo esse conhecimento em prática devido à sua lesão. Ou podia ser que ela não tivesse noção sobre qualquer uma daquelas coisas. Quem sabe estivesse realmente comunicando o que pensava e sentia. Talvez essa fosse a nova Krickitt.

Mesmo se a tensão no nosso relacionamento não fosse problemática o bastante, ainda estávamos recebendo ligações incessantes de empresas de cobrança, e estávamos lidando com uma batalha jurídica infindável para receber o dinheiro que nossa seguradora nos devia. Antes do acidente, nunca precisei conversar com um cobrador. Em meu histórico constava apenas um cheque sem fundos que só acontecera porque eu fizera um depósito em outra conta, por engano. Eu era muito cuidadoso com as minhas finanças, e sempre pagava as parcelas dos meus seguros com a intenção específica de evitar uma catástrofe financeira, caso um acidente sério viesse a acontecer. Agora a catástrofe havia acontecido, apesar das minhas boas intenções e ações responsáveis, e não conseguíamos chegar a um resultado satisfatório com a companhia de seguros.

Alguns dias os problemas chegavam a ser sufocantes, me atingindo em fortes ondas. Eu estava me afogando em meio ao estresse, à confusão e a raiva. Não conseguia dormir, tive que me demitir do emprego de que gostava e não sabia mais como ser um bom marido para a minha esposa. Em outros dias, a vida não parecia tão negra e sem esperança.

Certa noite, deitado na cama, já de madrugada, com Krickitt dormindo ao meu lado, fiquei, novamente, cara a cara com o fato de que somente Deus poderia curar nosso casamento. Naquele ponto, Krickitt e eu mal conseguíamos ficar no mesmo cômodo sem brigar. E eu sabia que a culpa não era toda dela. Eu precisava de ajuda. Deus teria que me desmontar por inteiro para poder me reconstruir na forma do marido que eu precisava ser para ela, e eu finalmente percebi que alguma outra pessoa teria que me ajudar a fazer aquilo. Olhando para o teto, ouvindo e sentindo a respiração constante de Krickitt ao meu lado, estes e outros pensamentos se reviravam na minha mente. Eu havia me colocado em uma igreja cheia de pessoas e prometido sustentá-la e protegê-la "em tempos de necessidade e dificuldade". Eu jurei devotar a minha vida "a cada uma das suas necessidades e desejos". Eu dissera aquelas palavras com muita alegria e convicção e fora sincero em relação a cada uma delas naquele momento, mas simplesmente não sabia como honrá-las agora. Assim, finalmente aceitei o conselho de Rob e liguei para o hospital psiquiátrico estadual para marcar uma consulta. Era estranho pensar em conversar com um psicólogo sozinho, depois de ter passado por tantas sessões ao lado de Krickitt. Mas eu, realmente, não tinha escolha: havia trabalhado para conseguir aquilo durante mais de um ano sem sucesso. Havia desapontado a minha esposa, e aquela sensação era devastadora.

Compareci à minha primeira sessão com o psicólogo Mike Hill, cuja sabedoria e perspicácia logo teriam um forte efeito sobre mim. Ele não era um terapeuta comum. Não era esnobe nem reservado. O que se via era a pessoa real. Um homem amigável, aberto e que não tinha medo de absolutamente nada.

Contei toda a nossa história a Mike, terminando com a certeza de que, embora não pretendesse me divorciar de Krickitt, seria difícil vivermos juntos e sermos felizes, e a minha melhor chance seria ajudá-la a chegar a um patamar em que ela pudesse ser autossuficiente e viver sozinha.

Ele pensou por um minuto antes de perguntar: — Por que você acha que Krickitt decidiu se casar com você?

— Porque sou divertido, charmoso, inteligente e bonito — eu disse, em tom de piada. Mike sorriu, mas não respondeu. Ele esperou pacientemente pela minha verdadeira resposta.

— Acho que foi por causa da maneira que eu a tratava — respondi, finalmente. — Eu estava interessado nela como pessoa, não apenas como uma mulher com quem eu poderia ter um relacionamento, e acho que ela gostava disso. Éramos almas gêmeas antes de nos apaixonarmos. Sempre houve um lado espiritual muito forte em nosso relacionamento, desde o começo. Krickitt tem uma fé incrível.

— E como você a trata agora?

— Como um pai. Como um treinador.

— Então ela acha que está casada com seu pai?

Foi a minha vez de sorrir. — Você me pegou nessa, Mike. Não sei como ela se sente. Sei que ela está disposta a aceitar que nós somos casados porque todos ficam dizendo isso a ela. E, honestamente, acho que ela quer me amar como marido. Mas, no fundo, eu não sei realmente se ela sabe quem eu sou.

Depois de algumas sessões com Mike, quando ele já tinha uma boa ideia sobre a nossa situação, ele achou que seria uma boa ideia trazer Krickitt comigo para uma das sessões. Ela concordou, e sua conversa com Mike acabou sendo a resposta que precisávamos para começar a colocar nossas vidas de volta nos trilhos.

Assim, Krickitt veio à minha sessão de terapia. Ela e Mike conversaram por algum tempo, e Mike lhe disse:

— Sabe, Krickitt, não acho que você se lembre de ter conhecido, namorado e se casado com Kim.

Por mais inacreditável que isso pareça agora, ninguém nunca havia lhe dito aquelas palavras simples.

O rosto de Krickitt se iluminou com a revelação de Mike. — É isso mesmo! — disse ela, animada. — É isso! Não admira que tudo seja tão esquisito.

Todos nós entendíamos que Krickitt havia perdido sua memória. Sua família, amigos e eu sabíamos que ela não se lembrava de haver me conhecido, namorado ou se casado comigo. O que não havíamos percebido era que, apesar de inúmeras conversas durante seu período de reabilitação, Krickitt não entendia realmente o que havia acontecido com ela. As pessoas lhe diziam incessantemente que ela era casada comigo, que ela era a mulher que aparecia nos vídeos do nosso casamento e que ela mesma escolhera o conjunto de porcelana que estava em nosso armário, mas ninguém havia lhe falado de forma tão clara e concisa quanto Mike, naquele dia, em seu consultório.

Krickitt sabia que sua memória havia sido apagada, mas ela se sentia confusa porque achava que devia me conhecer, embora não conhecesse. O que ela finalmente percebeu era que não havia qualquer problema em não me conhecer, ou em não reconhecer nosso conjunto de porcelana. Não era sinal de que ela estava louca. Ela não estava em um sonho. Ela simplesmente não conseguia lembrar-se da nossa vida a dois porque sofria de amnésia. Com aquilo em mente, ela não tinha que me conhecer. Era impossível. E não era sua culpa não poder se lembrar de nada.

Parece muito confuso? Imagine como devia ser para Krickitt.

Assim, Mike desenvolveu um plano. Nós já havíamos percebido que nossos papéis no casamento estavam muito confusos. Estávamos vivendo como técnico e atleta, ou como pai e filha, não como marido e mulher. Em resumo, eu tinha todo o controle e esperava que ela seguisse as minhas ordens. Havia pouco da troca que caracterizava um casamento saudável. Mike nos ajudou a ver que precisávamos reestabelecer a igualdade em nosso casamento. Essa igualdade havia sido arrancada pelo acidente, tínhamos que reconstruir uma história em conjunto. — Você e Krickitt precisam recomeçar — explicou Mike. — Krickitt não tem um conjunto de lembranças compartilhadas que incluam você. Memórias compartilhadas deixam um rastro de ligações emocionais que ela pode seguir até o momento em que vocês se conheceram, mas essa é uma jornada emocional que ela não se lembra de haver vivenciado, e, assim, não é de se espantar que ela pergunte: "Como foi que cheguei até aqui?"

— Um novo conjunto de memórias, das quais ela consiga se lembrar, vai construir novos laços emocionais entre vocês. Acho que a velha Krickitt não vai mais voltar. É hora de você conhecer a nova Krickitt. E é hora de permitir que ela venha a conhecê-lo.

— E o que devemos fazer agora? — eu perguntei.

— Como você conheceu a velha Krickitt? — rebateu Mike.

— Nós saímos para namorar. Fomos assistir a partidas esportivas, ao cinema, jantávamos com amigos...

— Então permita-se conhecer a nova Krickitt da mesma maneira.

— Começar a namorar minha própria esposa? — pensei em voz alta.

— É uma maneira de substituir as memórias que Krickitt perdeu. Para ela, vocês não têm um passado a dois, nenhuma base sobre a qual possam construir um relacionamento sólido. É uma segunda chance de conhecê-la.

Fiquei animado com a possibilidade de ter uma segunda chance com Krickitt. Para mim, eram duas maneiras de ter uma segunda chance. Em primeiro lugar, eu ganharia uma nova oportunidade de fazer as coisas darem certo depois do acidente. E, em segundo lugar, teria mais uma chance de conhecer aquela mulher maravilhosa. Eu havia gostado muito da primeira vez, e esperava gostar igualmente da segunda.

Assim, segui o conselho de Mike e comecei a namorar minha esposa. Las Vegas, no Novo México, não é, nem de perto, tão interessante quanto a cidade maior que tem o mesmo nome, mas prometi a Krickitt que teríamos uma noite de namoro todas as semanas. O importante não seria fazer alguma coisa interessante, e sim fazer alguma coisa juntos. Nós comemos pizza. Fomos jogar boliche. Fomos assistir a partidas esportivas. Fomos ao Wal-Mart, onde deixávamos que um funcionário escolhesse um saco de doces e o dividíamos com ele na própria loja... Krickitt gostava daquela mudança na rotina, e eu também gostava. E nós nos dávamos muito bem durante nossas pequenas excursões. Parecia estar funcionando muito bem.

Mesmo assim, tínhamos nossos momentos ruins, e esses momentos geralmente aconteciam enquanto estávamos jogando golfe.

Na primeira vez que jogamos, não chegamos nem ao segundo buraco[13]. Krickitt saiu pisando duro em uma direção e eu saí dirigindo o carrinho elétrico dos golfistas na outra. Estávamos de volta ao mundo dos esportes, e os papéis de pai e treinador voltaram a aparecer. Desnecessário dizer, Krickitt não ficou muito feliz.

Quando voltamos a nos encontrar, Krickitt não me poupou de seus comentários. Ela estava farta por eu não aceitar quem ela era agora.

— Olhe, me desculpe. Mas se você parar de reclamar a respeito de tudo, vai conseguir jogar muito melhor, e todas essas pessoas à nossa volta não vão ficar olhando para nós.

Não era a resposta que ela queria ouvir. Com um olhar duro, ela saiu andando do estacionamento.

Por mais que aquela primeira partida de golfe tivesse sido difícil, nós decidimos tentar mais uma vez. Era um ótimo campo de testes para o nosso relacionamento. Fomos forçados a descobrir como lidar um com o outro se quiséssemos jogar. A segunda experiência foi quase uma repetição do primeiro jogo. Mesmo assim, voltamos a jogar, lutando bravamente por 2 ou 3 buracos antes que um de nós perdesse a paciência. Após algumas tentativas, já conseguíamos chegar até o quarto buraco antes de começarmos a gritar.

Todo casal tem altos e baixos no jogo do namoro e da sedução, e a situação não era diferente conosco. Todos têm problemas com os quais devem lidar; no nosso caso, simplesmente estávamos passando por tudo aquilo pela segunda vez, e a segunda vez era ainda mais difícil. Mesmo assim, o sentimento geral, durante aquele período, era, definitivamente, positivo. Nossos passeios para namorar nos davam assuntos para conversar coisas que não estavam relacionadas ao acidente e suas consequências. Como tínhamos mais coisas em comum, agora, conseguíamos relaxar mais. Nós ríamos mais. Nós nos beijávamos mais. Nosso casamento havia milagrosamente mudado a trajetória, de uma espiral para baixo para uma trajetória ascendente.

[13] Uma partida de golfe é, tradicionalmente, disputada com dezoito buracos, que devem ser acertados sequencialmente. (N. T.)

Krickitt, Mike e eu nos encontrávamos regularmente para conversar sobre o nosso progresso. O plano de Mike parecia estar funcionando. Krickitt e eu estávamos construindo um passado a dois, e aquilo seria o alicerce de um novo futuro. Nosso relacionamento no dia a dia estava melhorando a olhos vistos, embora ainda brigássemos demais. Eu finalmente passei a acreditar que o pior estava superado, e já conseguia nos imaginar vivendo juntos depois disso tudo, algo que parecia impossível há poucos meses.

O plano de Mike não previa apenas que voltássemos a namorar. Ele queria que tivéssemos uma cerimônia de renovação de votos. Minha reação imediata à ideia de um "segundo casamento" foi dizer que aquilo estava fora de questão.

Em primeiro lugar, nós já éramos casados. Seria essa cerimônia de renovação uma mensagem às pessoas de que a primeira fase do nosso casamento havia se desgastado ou que estava passando por dificuldades? Não, eu pensava. Foi por causa da primeira cerimônia, aqueles primeiros votos, que ainda estávamos juntos hoje. Em segundo lugar, eu não via qualquer motivo para encarar tantos afazeres e preocupações em troca de um gesto puramente simbólico. E, finalmente, seria mais uma despesa enorme, em uma época em que nossas finanças ainda estavam bastante dilapidadas.

Krickitt, entretanto, agarrou-se à ideia assim que Mike a sugeriu. Ela explicou sua opinião a Mike e a mim.

— Eu voltei a conhecer a minha alma gêmea, meu companheiro para a vida toda — disse ela, ecoando as minhas palavras quando a pedi em casamento na Califórnia, uma ocasião que parecia ter acontecido há um milhão de anos. — Nós nos divertimos muito. Como é possível que a gente não se importe quando alguém lhe apoia e fica ao seu lado, como Kimmer fez por mim? Eu quero me lembrar de lhe dar a minha mão em casamento. Outra cerimônia vai me dar as memórias que toda esposa deveria ter.

Embora eu ainda não estivesse tão animado com aquela ideia, Krickitt estava tão alegre e cheia de expectativa que me fez pensar que talvez eu devesse fazer aquilo, porque lhe deixaria feliz e, mesmo que não tivesse o mesmo significado para mim, era algo que eu poderia fazer para mostrar a ela o quanto a amava.

— Tenho alguns vislumbres da minha vida de pouco antes do acidente, mas meu coração não tem essas lembranças — disse ela, enquanto continuávamos a conversar com Mike. — É isso que eu quero de volta, algo em meu coração.

— Eu quero ter a lembrança de um vestido branco longo, e do momento em que meu pai me conduz até o altar. Quero saber qual é a sensação quando isso acontece.

Aquilo era um argumento perfeitamente lógico para mim. Afinal, se eu perdesse as lembranças de haver conhecido um ídolo dos esportes, preferiria encontrá-lo novamente em vez de simplesmente ser informado do fato e ver as fotos.

— Quando perdi a minha memória, perdi os sentimentos que tinha por Kim. Tive que redescobrir o que havia em Kim para eu ter me apaixonado por ele da primeira vez. Não me lembro como isso aconteceu antes, mas eu imagino que, desta vez, meu amor cresceu de uma maneira diferente. Não aquele amor bonitinho e romântico, mas uma escolha consciente. O fato é que eu era casada com esse homem. Os sentimentos vieram depois e, felizmente, passei a amá-lo novamente.

Foi naquele momento que eu percebi que não fui o único de nós que manteve seus votos. Krickitt manteve seu juramento de honrar e apoiar um homem com quem ela não se lembrava de ter se casado. Independentemente do resultado que teríamos, ela disse com um sorriso: — Estou presa a você para o resto da minha vida. Vamos fazer com que isso dê certo. Não há outra opção. Você me orientou durante a reabilitação — disse ela a mim, cheia de convicção. — Você me ensinou a andar novamente, e como segurar um garfo. Você me ajudou até mesmo a ir ao banheiro. Agora quero que você me veja como sua esposa, não como sua filha.

E era impossível não concordar com aquilo.

Krickitt preferiu esperar até que nossos problemas com as seguradoras estivessem resolvidos antes de pensar nos detalhes do nosso segundo casamento. Eu concordei, pois não seria nada bom ter aquela situação sobre nossas cabeças durante o grande dia. Depois de algumas semanas conseguimos concluir a negociação e chegamos a um acordo. As contas foram pagas e as nossas restrições ao crédito foram suspensas. Mais uma razão para celebrar um novo começo.

Eu imaginei que um novo casamento precisaria de um novo pedido, então decidi que surpreenderia Krickitt no centro especializado em condicionamento físico onde ela trabalhava em meio período. No dia dos namorados[14] de 1996 eu entrei no centro com um buquê de rosas nas mãos, dirigi-me até minha mulher, retirei o anel de casamento de seu dedo e perguntei:

— Aceita ser minha companheira para o resto da vida? Krisxan, você quer se casar comigo?

Krickitt Carpenter aceitou se casar comigo de novo, e coloquei a aliança em seu dedo novamente. Entretanto, percebi que ela ficou um pouco decepcionada com a minha falta de criatividade. Quando penso naquela ocasião, percebo que ela tinha razão. As imagens, os sons e os cheiros de um centro de condicionamento físico não são exatamente os melhores ingredientes para um romance. Embora o esporte sempre tivesse sido uma parte muito importante de nossas vidas, eu sabia que minha ideia não fora das melhores.

Originalmente, eu havia concordado com a cerimônia de renovação dos votos para fazer com que Krickitt se sentisse feliz, mas, com o tempo, passei a gostar mais da ideia, e logo estava tão animado com o casamento quanto ela. Entretanto, essa cerimônia não seria tão grandiosa como a primeira. Em vez disso, queríamos algo mais tranquilo e mais íntimo.

Encontramos uma capela rústica construída com troncos de árvores em Pendaries, um *resort* localizado na pequena cidade de

[14] Nos Estados Unidos, o dia dos namorados acontece em 14 de fevereiro. (N. T.)

Sapello, não muito distante de Las Vegas. O lugar era perfeito. Havia espaço para cerca de 30 pessoas apenas, mas como convidaríamos apenas alguns amigos mais próximos, nós imaginamos que o espaço seria suficiente.

Conforme a data se aproximava, Krickitt era a imagem da autoconfiança e compostura, embora eu soubesse que, provavelmente, agiríamos de maneira diferente no dia do casamento. — Eu vou estar nervosa e tremendo quando andar por aquele corredor — previu ela. — É ali que tudo vai fazer sentido. Tudo que aconteceu nos últimos anos.

Como sempre, Krickitt continuava a escrever consistentemente em seu diário. Na véspera do nosso segundo casamento, ela escreveu: "Eu rezo para que Kim e eu possamos ter bons momentos juntos, compartilhando, rindo e nos amando. Eu também rezo pela nossa segunda lua de mel, para que tudo corra bem. Mal posso esperar. Por favor, ajude a mim e a Kimmer a nos aproximarmos ainda mais".

Krickitt convidou Megan Almquist para reprisar o papel de madrinha do casamento. Megan estava ansiosa para poder assistir a Krickitt no momento em que ela criava uma memória que duraria para sempre. Escolhi um padrinho diferente para o nosso segundo grande dia: o fisioterapeuta preferido de Krickitt, Scott Madsen. Ele seria a escolha perfeita, porque tivera um papel fundamental na recuperação de Krickitt, e seu apoio havia me ajudado a enfrentar meus dias mais difíceis.

Algumas pessoas muito especiais vieram compartilhar do nosso novo começo conosco, muitas das quais nós conhecemos devido ao acidente. Fomos abençoados com a presença de DJ Coombs, a paramédica que superou sua claustrofobia para cuidar de Krickitt enquanto ela ainda estava presa de cabeça para baixo no carro, Bob Grothe, um dos enfermeiros que estava no helicóptero que levou Krickitt de Gallup para Albuquerque, quando quase todos haviam perdido a esperança, e Wayne e Kelli Marshall, o casal que parou no local do acidente e rezou por nós.

Assim, em 25 de maio de 1996, eu estava em frente ao altar na pequena capela nas montanhas de Pendaries, olhando para o grande amor da minha vida. Eu falei com segurança, amor e com um sentimento profundo de gratidão, algo que nunca serei capaz de descrever. Mal conseguia enxergar Krickitt em meio às lágrimas quando repeti meus votos por ela.

— Krick, estou aqui perante você, reafirmando o compromisso dos votos que fiz no passado. Agradeço a Deus todos os dias por poupar as nossas vidas e nos dar força e disposição para passar por todas essas dificuldades e adversidades. Há quase três anos, fiz um juramento e, como disse naquela ocasião, repito agora, com um amor e um desejo ainda maiores: Prometo defender o nosso amor e estimá-lo acima de qualquer coisa. Prometo ser compreensivo, tolerante e paciente. Prometo cuidar de cada uma das suas necessidades. Prometo respeitá-la e amá-la completamente. Acima de tudo, prometo que, não importa quais adversidades nós tenhamos que enfrentar, eu nunca me esquecerei dos votos que fiz: protegê-la, guiá-la e cuidar de você, até que a morte nos separe. Só existe uma coisa que pode superar para sempre os eventos dolorosos pelos quais passamos, e essa coisa é o amor que eu sinto por você. Sinto-me verdadeiramente honrado por ser seu marido.

Os votos de Krickitt foram mais curtos, mas, mesmo assim, tão significativos quanto os meus.

— Kimmer, eu amo você. Eu o estimo como meu marido. Obrigada por ser fiel aos seus primeiros votos. Eu prometo estar ao seu lado para apoiá-lo, estimulá-lo e confortá-lo, sempre que precisar.

— Eu preciso de você, Kimmer. E eu amo você.

Krickitt estava com o mesmo vestido que usou no nosso primeiro casamento. No meu caso, infelizmente, o fraque que eu havia usado não me servia mais. Embora tivéssemos concordado em usar as mesmas alianças, eu preparara uma surpresa: comprei uma nova aliança, e planejava colocar as duas em seu dedo quando o momento chegasse.

Quando coloquei as duas alianças no dedo de Krickitt, Megan entregou a minha antiga aliança a Krickitt. Quando ela abriu a mão, percebi que ela também havia comprado um segundo anel para mim. Quando colocou as duas alianças no lugar onde a antiga costumava ficar, Krickitt abriu aquele imenso sorriso que eu havia visto tantas vezes antes do acidente. Fiquei emocionando ao vê-lo mais uma vez.

Eu e Krickitt voltamos ao mesmo hotel onde havíamos ficado em Maui durante a nossa primeira lua de mel. Enquanto eu dirigia o carro para irmos à praia, nós vimos uma placa que dizia: "Jesus está voltando", e Krickitt me disse que aquela imagem aparecia em um de seus *flashbacks*, mas que ela não conseguia encontrar um contexto para inseri-la até agora.

Fomos até um certo local da praia que se tornou o nosso lugar favorito durante a primeira viagem. — Alguma coisa aqui é familiar — disse ela, olhando para um terraço onde havia algumas cadeiras e mesas. Ela chegou até mesmo a me mostrar a mesa onde havíamos nos sentado três anos antes.

— Mas é um *déjà vu* no qual eu não apareço — explicou ela.

Daquele momento em diante, nós nunca mais tentamos forçar a memória de Krickitt. Passamos a olhar para o futuro, não para o passado, e nosso futuro nos deu oportunidades que não poderíamos ter imaginado.

oito
Impacto global

Nossas duas cerimônias de casamento tiveram várias coisas em comum: o vestido, os anéis, a madrinha de Krickitt e a viagem de lua de mel. Mas havia um elemento imenso que só esteve presente no nosso segundo casamento: a mídia. Sim, emissoras de televisão como a *CBS*, a revista *People*, o jornal *London Times*, os programas *ABC News* e *Inside Edition* estavam lá, esperando conseguir um vislumbre da nossa cerimônia.

Depois do segundo pedido de casamento, nós descobrimos que havia pessoas que conheciam nossa história e que se sentiram bastante estimuladas por ela. Por sua vez, isso deu ânimo a Krickitt para pedir a Deus que nossa história se tornasse um exemplo de como é possível superar obstáculos. Poucos dias depois de Krickitt ter pensado sobre isso, recebemos um telefonema inesperado de Van Tate, o apresentador de um programa de televisão chamado *On The Road*, da emissora afiliada da *CBS* em Albuquerque. Van estava escrevendo uma matéria com o título: "O que aconteceu com o treinador Carpenter?" Naquela época, quando eu era o principal treinador do time, era também o técnico mais jovem em toda a NCAA[15], e havia muitas pessoas interessadas na minha história. Enquanto conversava conosco ao telefone, ele soube mais detalhes sobre o acidente, e ficou feliz pelos nossos planos de realizar uma segunda cerimônia de casamento. Ele queria mostrar nossa história em seu programa.

Alguns dias depois que o programa de Van foi ao ar, um repórter do *Albuquerque Journal* ligou e quis fazer uma matéria conosco também. No domingo, 17 de março de 1996, estávamos na primeira página do jornal de Albuquerque, sob a manchete: "Amor perdido e reencontrado". O artigo dava mais detalhes sobre a reabilitação de Krickitt, mas o destaque principal foi que, depois de tudo que aconteceu, nós não apenas continuávamos casados, mas iríamos renovar nossos votos matrimoniais.

A reportagem também incluiu esta citação: "— Não estou me casando com a mesma pessoa com quem me casei há três anos, mas eu também não sou a mesma pessoa que era naquela época. Por exemplo, o beisebol não tem o mesmo significado para mim que costumava ter. É mais uma parte de nossa vida antiga. Estamos mais próximos agora; temos uma ligação diferente, e uma conexão mais profunda do que tínhamos antes". Ficamos felizes ao saber que as pessoas estavam conhecendo nossa história, mas nós realmente não pensávamos que o caminho que trilhamos era algo tão especial ou que fosse despertar o interesse de alguém que estivesse fora da parte do Novo México onde morávamos. Estávamos errados. Logo fomos contatados por Tom Colbert, o presidente de uma empresa chamada Industry Research and Development, que busca por histórias de inte-

[15] *National Collegiate Athletic Association*, uma associação esportiva responsável por promover competições entre as universidades. Conta com cerca de 1.200 escolas-membro e organiza cerca de 80 campeonatos nacionais, em 20 modalidades esportivas diferentes. (N. T.)

resse humano nas notícias e ajuda os repórteres locais a se conectarem com a mídia nacional. Ele viu a reportagem no *Albuquerque Journal* e perguntou se gostaríamos que nossa história fosse veiculada pela Associated Press. Ele explicou que, uma vez que o artigo fosse enviado para a rede da AP, ele estaria disponível para centenas de jornais e outros veículos de comunicação por todo o país.

— Vocês precisam pensar nisso com cuidado — aconselhou ele. — Se aceitarem, a vida de vocês nunca mais será a mesma.

As palavras de Tom tinham um tom de advertência. Entretanto, pouco menos de uma semana antes de conversar com ele, pensávamos em usar nossa história como exemplo para outras pessoas.

Assim, nós conversamos, pensamos e concordamos com a ideia de divulgar todos os acontecimentos pelos quais tínhamos passado. Honestamente, nós não imaginávamos causar tanta comoção, pois, naquele momento, já fazia cerca de dois anos e meio que o acidente havia acontecido. Não imaginávamos que nossa história fosse interessante o bastante para chegar ao noticiário nacional. Entretanto, Tom sabia do que estava falando. Assim que ela foi divulgada nacionalmente, nossas vidas realmente mudaram. E, se havia alguém que estivesse equipado para lidar com a mudança, eu e Krickitt éramos essas pessoas.

Os telefonemas aumentavam a cada dia, até que o telefone voltava a tocar assim que desligávamos. Na véspera do nosso casamento, o jornal *Los Angeles Times* publicou um artigo especial sobre nós. E naquela noite, Jay Leno chegou até mesmo a mencionar nossos nomes na abertura do programa *The Tonight Show*.

Conversamos com muitas pessoas durante nosso segundo "noivado", mas aquilo estava começando a ficar excessivo. Tínhamos que tomar algumas decisões porque, além de precisarmos saber como responder aos vários pedidos que recebêramos sobre uma possível cobertura jornalística de nosso casamento, nós também estávamos trabalhando no planejamento da cerimônia. Não é segredo para ninguém que os casamentos levam tempo para serem planejados, mas, no nosso caso, todo o nosso tempo estava sendo consumido nas nossas conversas com a mídia.

No final, decidimos ceder os direitos exclusivos de cobertura em vídeo da cerimônia de casamento para o *Inside Edition*. Eles se ofereceram para pagar as despesas da cerimônia e da lua de mel em troca dos direitos. Embora nossas dívidas com a companhia de seguros estivessem resolvidas, nossas reservas financeiras eram baixas, e achamos que a oferta do *Inside Edition* era nossa melhor opção.

Embora o *Inside Edition* tivesse os direitos exclusivos sobre a cerimônia, eles não cobririam somente o casamento, também queriam apresentar matérias sobre nós, várias semanas antes do casamento, para que seus telespectadores ficassem ansiosos para ver o desfecho. Eles mandaram um repórter e uma equipe para a nossa casa em Las Vegas e montaram seus equipamentos em nossa sala de estar, e nos filmaram enquanto assistíamos ao vídeo do nosso primeiro casamento e enquanto Krickitt olhava para as fotografias e outros *souvenirs* de um dia do qual ela não se lembrava mais.

Não havia uma sacristia onde as noivas pudessem ficar na pequena capela de madeira em Pendaries. Assim, os pais de Krickitt tiveram que estacionar seu *motorhome* do lado de fora para que ela pudesse usar o veículo como quarto de vestir. Fazendo jus ao nome, a equipe do *Inside Edition* estava lá dentro com ela, apertada em meio às damas de honra e todas as outras pessoas, conversando com Krickitt a respeito do seu vestido, suas sensações e impressões sobre o que estava acontecendo, e todas as outras coisas que acontecem com a noiva durante o grande dia.

Embora o *Inside Edition* fosse o único programa autorizado a entrar nos recintos reservados às festividades do nosso casamento, havia muitas outras pessoas do lado de fora. Entre elas, um fotógrafo do *London Times* e outro da revista *People*.

Nós havíamos tentado manter o local da nossa lua de mel em segredo, mas ouvimos um boato de que o programa *Hard Copy* descobrira que iríamos para o Havaí e despachariam uma equipe de jornalismo até lá, para esperar por nós no aeroporto. Embora quiséssemos compartilhar nossa história com as pessoas, aquela notícia nos deixou apreensivos. Não tínhamos qualquer desejo de dividir a nossa lua de mel com outras pessoas, especialmente com a equipe de um programa de TV. Assim, telefonei para o aeroporto de Honolulu e expliquei a situação. Quando chegamos lá, não vimos nenhum sinal dos repórteres.

Os funcionários do hotel onde nos hospedamos em Maui receberam ordens expressas de manter nossa presença em sigilo. Nós nos registramos com pseudônimos e, assim, eles não mentiriam quando dissessem a alguém que telefonasse que não havia nenhum senhor ou senhora Kim J. Carpenter registrado. Mas havia uma estação de rádio da Califórnia que havia adivinhado que passaríamos nossa segunda lua de mel na mesma ilha onde a primeira havia acontecido, e começaram a ligar para todos os hotéis em Maui para tentar nos encontrar. Eles haviam ligado para quase todos, exceto dois deles, até que conseguiram falar conosco... às 4 horas da manhã, no fuso horário do Havaí[16]. Obviamente, o horário não era o ideal, mas conversamos com eles. Nunca cheguei a ouvir a entrevista, mas posso garantir que não foi uma das melhores que nós concedemos.

A segunda reportagem do *Inside Edition* sobre nós foi ao ar enquanto estávamos no Havaí. Consequentemente, as pessoas começaram a nos reconhecer nas ruas de Maui. “Ei, vocês não são aquele casal que apareceu na TV ontem?” Era tudo o que precisávamos, bem quando estávamos tentando permanecer anônimos. Estávamos a milhares de quilômetros de casa e, mesmo assim, as pessoas sabiam quem éramos. Era algo meio surreal.

Quando chegamos ao aeroporto internacional de Los Angeles, para fazer a conexão, ficamos chocados ao ver nossos rostos estampados na revista *Star*. Não sabíamos que eles haviam comparecido ao casamento, mas não demorou muito até sabermos quais eram as

[16] Existe uma diferença de duas horas entre o fuso horário da Califórnia e o do Havaí. (N. T.)

pessoas, entre os presentes naquele dia, que relataram os acontecimentos e tiraram fotografias para eles. Havia um homem estranho e bastante desagradável que estava na frente da igreja durante a cerimônia, intrometendo-se na frente da câmera de vídeo da família e junto da câmera do *Inside Edition*. Tentamos ficar de olho nele e pedimos a um dos cerimonialistas que não o deixasse entrar, mas, no fim, havia tantas coisas acontecendo que não foi possível prestar muita atenção ao homem. Graças à nossa falta de atenção, nós agora éramos as estrelas dos tabloides vendidos em supermercados.

Assim que voltamos a Las Vegas, recebemos uma quantidade imensa de pedidos e convites de emissoras e programas de televisão. Queríamos aceitar tantas ofertas quanto fosse possível, e aquilo significava que a vida ficaria cada vez mais movimentada e atribulada para nós. Nos primeiros programas em que aparecemos, as equipes de TV vinham nos entrevistar no Novo México. Não demorou até recebermos convites de Nova York e Los Angeles para sermos entrevistados pessoalmente pelos apresentadores. Com exceção de uma viagem missionária de Krickitt à Hungria, nenhum de nós havia viajado muito, e, assim, foi uma nova experiência para ambos. Às vezes viajávamos para dois ou três lugares diferentes na mesma semana. Quando estávamos em Seattle, para participar de um programa, alguns turistas japoneses nos abordaram do lado de fora do estúdio. Aparentemente, nossa história havia chegado ao conhecimento do mundo inteiro; eles nos viram em um programa de TV em seu país. Também fomos informados de que nossa história fora apresentada em um programa na Alemanha.

Tivemos a felicidade de ser entrevistados por celebridades que vínhamos acompanhando há anos, e gostamos muito de conhecê-las pessoalmente. Foi muito interessante ver como eram quando não estavam em frente às câmeras.

Uma das nossas entrevistas mais memoráveis foi feita por Sally Jesse Raphael. Seus produtores nos convidaram para participar de seu programa porque Sally tem um filho que sofreu uma lesão na cabeça, causada por um acidente de moto. Sally via a nossa história como uma maneira de ajudar a educar o público sobre os efeitos devastadores desse tipo de lesão. Por mais trágica que fosse, a experiência de Sally nos deu uma compreensão compartilhada sobre as mudanças na vida de uma pessoa e seus familiares quando há uma lesão na cabeça. Ela teve condições de conversar conosco num nível mais pessoal e profundo do que os outros, porque sabia exatamente qual era a situação pela qual nós estávamos passando. Por causa dessa ligação, ela conseguiu nos entrevistar com uma dose mais forte de inteligência e sensibilidade.

Também recebemos um convite para participarmos do programa de Oprah Winfrey. Foi nossa oportunidade de compartilhar da nossa fé com o público do programa, alcançando, de uma só vez, mais pessoas do que até então. Também aparecemos no *talk show* de Leeza Gibbons, e percebemos que ela era uma pessoa elegante e de muita classe. Eu a adorei. Além disso, Anne Curry nos entrevistou no programa *Dateline*, e também fomos convidados para aparecer nos programas de Maury Povich e Montel Williams. Passamos o restante de 1996 no circuito dos programas de entrevistas e continuamos a dar declarações e aparecer em jornais e revistas. Houve duas grandes matérias publicadas a nosso respeito na *McCall's* ("A esposa que esqueceu que era casada") e no *Reader's Digest* ("Para melhor ou para pior").

Durante todas as nossas viagens, fomos levados aos melhores restaurantes, passeamos pelas cidades em nossa própria limusine (completa com um chofer particular) e geralmente éramos tratados como celebridades por um ou dois dias. A melhor coisa que havia em tudo aquilo, entretanto, era saber que a nossa participação no *show business*, por menor que fosse, era uma excelente maneira de reafirmar o que era verdadeiramente importante para nós na vida. Com toda a atenção que começamos a receber, e mesmo depois de aparecer na televisão, ainda éramos as mesmas pessoas de antes. Éramos apenas duas pessoas tentando viver nossa vida juntos, manter as promessas que fizemos um ao outro e nos esforçando sempre para que Deus estivesse no centro de tudo isso.

Também recebemos o apoio da mídia cristã. James Dobson, da *Focus on Family*, escreveu sobre nós em seu informativo de junho de 1997. Ele disse:

> Nestes dias em que a cultura nos ensina a desistir ao primeiro sinal de frustração ou dor, é encorajador ver esse jovem casal trabalhando para recapturar o que havia perdido e para continuar comprometido, mesmo quando acontece uma tragédia. O exemplo deles, eu espero, será relevante para muitos dos meus leitores que perderam a paixão em seus casamentos, não como o resultado de uma lesão no cérebro, mas por qualquer motivo que tenha afastado os membros do casal. Talvez a decisão de Kim, de tentar recuperar a afeição de Krickitt, possa ajudar especialmente aqueles que não conseguem encontrar as "memórias" do amor. Se você está considerando a possibilidade de um divórcio, não seria melhor começar a cortejar seu marido ou mulher novamente e tentar reconstruir o casamento a partir do zero? Fazer isso nunca é algo fácil, e eu tenho certeza de que Kim e Krickitt ainda não enfrentaram seus últimos desafios. Mas é a coisa certa a fazer, e, acima de tudo, a resposta mais gratificante para maridos e esposas com dificuldades conjugais.
>
> Permita que eu conclua oferecendo um conselho para os jovens homens e mulheres que virão a se unir pelos laços sagrados do matrimônio neste verão. Eu convido cada um de vocês a entrar no casamento com um comprometimento sólido e inabalável, de modo que ele dure pela vida inteira. Não deixe que nada além da morte separe o que está para ser consumado. Quando chegarem os tempos difíceis (e eles, com certeza, chegarão) eu espero que vocês se lembrem da história de Kim e Krickitt, que estão enfrentando a tempestade juntos, de mãos dadas e com as almas em sintonia.

Um ano e meio após nosso segundo casamento, ficamos surpresos quando aparecemos na reportagem de capa da revista *Christian Reader*, na edição de novembro/dezembro de 1997. Logo depois, começamos a trabalhar em nosso primeiro livro: *Para sempre: a história de Kim e Krickitt Carpenter*, que foi publicado nos Estados Unidos pela Broadman & Holman Publishers em 2000.

No meio de todo o interesse da mídia, causado pelo nosso segundo casamento, os estúdios de Hollywood também telefonaram. Tom Colbert, que vinha nos ajudando a gerenciar as relações com a mídia desde o começo, veio nos orientar quando precisamos atravessar o labirinto da indústria do cinema. Vários estúdios estavam interessados em produzir a nossa história.

Tomamos a decisão de fechar o contrato com Paul Taublieb e sua empresa, a LXD Productions. Entre todas as pessoas com quem conversamos, Paul foi quem melhor compreendeu a situação pela qual passamos e o que esperávamos de um filme sobre nós. Após algum tempo, ele nos colocou em contato com Roger Birnbaum e a Caravan Pictures, que hoje em dia se chama Spyglass Entertainment.

Depois de assinarmos o contrato para a produção do filme em 1996, esperamos por vários anos, para saber quando e se um filme seria realmente lançado. Quatorze anos depois, fomos informados que o filme viria realmente a ser produzido. *Para sempre*, estrelado por Rachel McAdams e Channing Tatum, será lançado nos Estados Unidos e em vários outros países em fevereiro de 2012. O filme será promovido e distribuído pela Sony Screen Gems.

Fomos convidados a visitar os estúdios de cinema durante a filmagem, e tivemos a oportunidade de conversar com Rachel e Channing. Gostamos muito da experiência. Quatro meses depois que as filmagens estavam encerradas, viajamos para a Califórnia para assistir ao filme que foi inspirado nos eventos de nossas vidas. Embora houvesse várias diferenças, como geralmente acontece quando histórias reais são adaptadas para o cinema, a estrutura básica ainda estava lá, e Krickitt e eu achamos que era um retrato excelente da mensagem da nossa história. Eu cheguei até mesmo a chorar enquanto assistia ao filme.

Sabemos que haverá muitas entrevistas em nosso futuro próximo, especialmente quando chegar a época de lançamento do filme.

Estamos ansiosos para ver como a nossa história vai continuar a inspirar tantas pessoas.

Quando nossa história chegou à mídia nacional pela primeira vez, com as matérias no *Los Angeles Times* e no *Inside Edition*, na primavera de 1996, muitas pessoas no ramo da mídia nos disseram para aproveitar todas as oportunidades para divulgar a nossa história, pois logo seríamos considerados "notícia velha", e ninguém mais iria nos convidar para participar de qualquer programa.

Entretanto, eles estavam errados. Aqui estamos, 16 anos depois, e milhões de pessoas por todo o mundo terão a oportunidade de assistir a um filme inspirado pela sucessão de acontecimentos que mudou nossas vidas para sempre.

Além disso, mesmo antes do anúncio de que o filme seria lançado, os representantes da mídia ainda entravam em contato conosco de tempos em tempos. As pessoas não se cansam de ouvir esta história, e nós ficamos muito felizes pela possibilidade de ir a qualquer lugar, a qualquer momento, para poder contá-la. A exposição que recebemos durante os anos também trouxe pedidos para que Krickitt e eu déssemos o nosso testemunho em igrejas, grupos de recuperação e apoio ao casamento e a vários outros tipos de público. Nenhum de nós tinha muita experiência em falar em público quando começamos, mas estávamos dispostos a fazê-lo, pela oportunidade de compartilhar e relatar tudo pelo que passamos.

nove
Uma família feita de esperança

No verão de 1998, Krickitt e eu nos mudamos para Farmington, minha cidade natal no Novo México, perto da região dos Quatro Cantos[17]. Repórteres da TV chegaram em casa antes mesmo que tivéssemos desembalado os móveis e as nossas coisas. No final daquela semana, havia uma foto nossa na seção de notícias locais do *Farmington Daily Times*, com a manchete que dizia: "Os Carpenters mantêm seus votos: casal famoso muda-se para a cidade enquanto o mundo observa" e um artigo secundário que dizia: "O casal aparecerá no programa *Dateline* na segunda-feira".

Em Farmington, eu me tornei o administrador-chefe de um programa de parceria entre a Universidade Highlands do Novo México e

[17] Área no interior dos Estados Unidos onde as divisas de quatro estados se encontram no mesmo ponto: Utah, Colorado, Arizona e Novo México. (N. T.)

a faculdade local que permitia que os residentes de Farmington cursassem os programas de extensão oferecidos pela Highlands. Embora fosse muito diferente do meu trabalho como técnico de beisebol, eu gostei da oportunidade de continuar a trabalhar para a Universidade Highlands.

Krickitt começou a trabalhar, em meio período, como assistente de treinamentos no centro de condicionamento físico do San Juan College. Após alguns meses, ela decidiu que era hora de uma mudança e resolveu encarar um desafio maior: começou a trabalhar como professora substituta no colégio Kirtland Central, e este acabou se tornando um emprego em período integral.

Quando o ano letivo da escola se encerrou, Krickitt se inscreveu como voluntária no centro médico regional San Juan, em seu departamento de reabilitação cardiopulmonar. Ela gostou muito do desafio de trabalhar com os pacientes que se tratavam ali. Depois de cerca de um mês de trabalho voluntário, o hospital a contratou para auxiliar no programa de reabilitação, que estava crescendo.

Em 1999, voltamos ao programa de Leeza Gibbons, no qual fizemos um anúncio muito importante: iríamos ganhar um bebê! Leeza ficou muito feliz por nós, e a indústria da mídia voltou a acenar para nós. Naquela época nós dois tínhamos nossos próprios empregos, e estávamos concedendo entrevistas e palestrando sempre que podíamos. Seria um período bastante atarefado para qualquer pessoa e, combinado com a gravidez de Krickitt e o estresse de saber que a mídia estaria por perto para registrar o nascimento do nosso bebê, nós dois estávamos bastante exaustos quando a data do parto chegou.

Em 3 de maio de 2000, Danny James Carpenter nasceu no centro médico regional San Juan. Ele foi recebido pela família, amigos e inúmeros representantes da imprensa. Antes do nascimento de Danny, eu havia me reunido com alguns funcionários-chave do hospital para traçar um plano de segurança para o lugar. A equipe do hospital nos deu todo o apoio, durante e depois do parto. Foi maravilhoso poder trabalhar com eles, e fiquei impressionado com a preocupação que demonstraram com nosso conforto e nossa privacidade durante aquele período.

Nas primeiras cinco semanas de sua vida, Danny apareceu em programas de televisão como o *Today Show*, *Dateline NBC*, *Fox News*, *MSNBC* e outros. Seu nascimento também foi divulgado pela revista *People*. Além disso, ele acabou sendo mimado por pessoas como Leeza Gibbons e Ann Curry, que se tornaram verdadeiras amigas durante esses anos. Krickitt e eu não estávamos totalmente confortáveis com todas as entrevistas e aparições na mídia logo após o nascimento do nosso filho. Estávamos mais preocupados com o bem-estar dele.

O pequeno Danny deu as boas vindas à sua irmã menor, LeeAnn Marie, quando ela veio ao mundo em junho de 2003. LeeAnn foi batizada em honra às nossas amigas Leeza Gibbons e Anne Curry, e também à mãe de Krickitt, Mary. Danny e LeeAnn são lembranças constantes de que fizemos a escolha certa quando decidimos continuar juntos durante a nossa tragédia. Se não tivéssemos tomado aquela decisão, nossos filhos nunca viriam a nascer.

Mais ou menos dois meses depois do nascimento de LeeAnn, nossas vidas novamente encontraram um turbilhão de preocupações, e, novamente, por conta de uma lesão na cabeça. Como a maioria dos pais sabe, se desviamos nossa atenção de nossos filhos pequenos, mesmo por um segundo, o resultado pode ser um acidente, e nós aprendemos isso por experiência própria. Durante um daqueles curtos lapsos na supervisão, nossa filha caiu e bateu a cabeça.

Eu não conseguia acreditar que, pela segunda vez, uma garota a quem eu amava mais do que a própria vida estivesse com um sangramento no cérebro, e precisasse ser levada de helicóptero até uma unidade de terapia intensiva em um hospital em Albuquerque. Diferente da minha experiência com Krickitt, recebi permissão para viajar no helicóptero-ambulância com LeeAnn. Depois de me despedir de Krickitt e embarcar na aeronave, passei alguns momentos dignos de um pesadelo, observando minha filha, ainda bebê, ferida tão gravemente, e pensando que esse acidente não havia sido causado por outra pessoa. Não havia ninguém que pudesse ser responsabilizado pela lesão da minha filha, a não ser nós, seus próprios pais. Por termos negligenciado um minuto de atenção às correias que a mantinham presa ao carrinho de bebê, ela agora estava à beira de sofrer danos cerebrais permanentes ou até mesmo de morrer. Medo, culpa e angústia pesaram com força sobre mim enquanto voávamos sobre a paisagem do Novo México rumo a Albuquerque.

Depois de meia hora de agonia, aterrissamos, e uma ambulância correu para levar a mim e LeeAnn para a UTI pediátrica no hospital Presbiteriano. Eu tive uma sensação horrível de *déjà vu* enquanto observava minha filha passar por muitos dos mesmos exames e ressonâncias que sua mãe havia enfrentado quase 10 anos antes. Pelo menos desta vez tinha uma ideia melhor sobre o que estava acontecendo, e a função exata de cada um daqueles monitores e exames.

Eu passei uma boa parte das primeiras cinco horas seguintes ao acidente de LeeAnn, sozinho, entre estranhos. Assim como havia sido deixado para trás enquanto Krickitt fazia seu voo salva-vidas para Albuquerque, ela também teve que dirigir até o hospital onde estávamos no meio da noite. Ela não estava ferida como eu estava na primeira vez, mas eu sabia que ela sentia o mesmo medo que me dominou naquela noite, há tantos anos. Quando Krickitt chegou ao hospital, às 3 horas da manhã, depois de um percurso de cerca de três horas, eu imediatamente lhe pedi desculpas por tudo que estava acontecendo.

Mais tarde, já pela manhã, nós recebemos a notícia de que o sangramento no cérebro de LeeAnn havia parado, e as coisas já não pareciam estar tão ruins para ela. Ela estava dormindo muito, assim como aconteceu com Krickitt no começo, mas em nenhum momento chegou a entrar em coma. Quando ela abriu os olhos pela primeira vez, fiquei aliviado ao ver a vida em vez do olhar fixo e vazio que havia nos olhos de Krickitt quando ela os abriu pela primeira vez.

Não demorou muito até que pudéssemos levar a nossa filha pequena de volta para casa, e ela rapidamente estava de volta à sua rotina habitual. Eu demorei um tempo muito maior para me recuperar do sentimento de culpa e do pesadelo revivido durante aquelas primeiras horas. Felizmente, o acidente não deixou qualquer sequela em LeeAnn.

Talvez não seja surpresa o fato de Danny ser um jogador de beisebol extremamente talentoso, já aos onze anos. Ele começou a jogar quando tinha três anos, e eu não pude evitar de voltar a agir como treinador, embora em um nível bem diferente do anterior. O time de Danny, o Farmington Fuel, conseguiu se qualificar para o campeonato mundial americano de beisebol durante quatro anos seguidos. Eu estou muito orgulhoso do meu filho, e do seu time, por chegarem tão longe, baseados apenas no desempenho da equipe, e não em quanto dinheiro o time tem para pagar, como acontece em muitas associações de beisebol.

Danny também faz bonito em esportes como luta greco-romana, futebol americano, basquete e golfe. Ele tem um potencial atlético enorme, e Krickitt e eu estamos ansiosos para ver o quanto ele vai querer investir em seu próprio talento. Ele está definitivamente seguindo os nossos passos, e eu espero que seja bem parecido com sua mãe, porque ela tem uma filosofia de trabalho melhor do que a minha.

LeeAnn é muito parecida com a mãe. Ela consegue envolver qualquer pessoa em uma conversa que dura um longo tempo, é muito vibrante e carinhosa e gosta de todas as pessoas. É emocionante ver como a nossa garotinha demonstra sua preocupação em relação a seus colegas de classe sempre que um deles fica doente.

Ela também gosta de fazer artesanato, escrever e ler. De fato, quando estava na primeira série do ensino fundamental, leu muitos livros. Como o restante da família, LeeAnn também gosta de esportes, mas gosta de vários esportes e estamos animados à espera de sua escolha da modalidade a que vai se dedicar. Atualmente ela está jogando softbol e basquete e gosta de dançar. Recentemente, ela decidiu até mesmo que quer praticar luta greco-romana, assim como seu irmão. Também começou a tomar aulas de canto e gosta muito de Taylor Swift.

Embora vários anos tenham se passado desde o nosso acidente, Krickitt continua a melhorar mentalmente. É divertido vê-la descobrindo coisas novas e perceber outras coisas que não havia notado antes. Entretanto, ninguém que converse com ela, hoje em dia, faz ideia de que ela já teve uma lesão séria na cabeça, a menos que conheçam nossa história.

Depois do nascimento de Danny, Krickitt deixou seu emprego de professora substituta e passou a ficar em casa para tomar conta da nossa pequena família. Quando as crianças começaram a frequentar a escola, ela voltou imediatamente ao cargo anterior na escola de Farmington, e não parou mais desde então.

Em relação a mim, depois de passar 18 anos trabalhando com instituições de ensino superior, decidi atuar no setor público. Eu trabalho para o município de San Juan desde 2005 e, em agosto de 2011, fui nomeado para o cargo de diretor executivo municipal. Também desempenho uma função administrativa no campeonato Connie Mack, um torneio de beisebol. Há muito tempo, decidi que queria viver a minha vida em toda a sua plenitude. Eu queria experimentar e fazer tudo o que pudesse, pelo menos uma vez, e depois voltar e repetir as experiências de que mais tivesse gostado. Depois de muitas atividades incríveis, incluindo a minha certificação como mergulhador e de conseguir meu brevê de piloto privado, eu sinto que realmente vivi a vida como queria.

Nossa família gosta muito de passar o tempo junto. Além de praticar esportes, algumas das nossas atividades favoritas incluem brincar com aeromodelos de controle remoto e brincar com nossos vários bichos de estimação: quatro cachorros, dois gatos, um hamster, um esquilo que construiu sua casa em nosso quintal e uma rã caolha.

Ainda vivemos em Farmington, onde os meus pais e os de Krickitt vieram morar. Meu irmão gêmeo e sua família moram aqui também. É ótimo proporcionar às crianças a experiência de viver perto de tantas pessoas da sua família. Eu gostaria apenas que meu irmão mais velho pudesse se mudar para perto, de modo que a família Carpenter pudesse se unir mais uma vez. Durante todo o período atribulado que passamos em função de Krickitt, nós aprendemos a importância de ter laços familiares fortalecidos, e somos felizes por nossos filhos conhecerem e amarem os outros membros da família.

Embora Krickitt nunca tenha recuperado a memória relativa ao nosso encontro, o namoro e o casamento (o primeiro), nossa vida, hoje em dia, não poderia estar melhor. Depois de tudo o que passamos, e depois de enfrentar todas aquelas dificuldades e adversidades, sabemos que ainda há outras por vir. É assim que a vida funciona. Mas nós temos um grande senso de gratidão. Fomos verdadeiramente abençoados.

Já se passaram 18 anos desde o nosso acidente, mas nos lembramos dele a cada dia. Diferente dos primeiros anos de nossa provação, nossas memórias não nos trazem mais incerteza, medo ou raiva. Em vez disso, temos um imenso senso de propósito. Continuamos a falar às pessoas sobre a nossa experiência e, ocasionalmente, recebemos telefonemas de alguém que leu ou ouviu a nossa história. De tempos em tempos também recebemos ligações de pessoas cujos entes queridos estão passando por eventos traumáticos, e que precisam do nosso apoio e dedicação. Embora estes momentos sejam difíceis para nós porque eu conheço o horror pelo qual eles estão passando, nós sabemos que apoiar e caminhar com outras pessoas que estão onde já estivemos é uma maneira de retribuir e dar propósito aos eventos de nossas vidas.

Um de meus bons amigos, o compositor Billy Simon, escreveu a letra de uma canção intitulada *A Man You Would Write About*. Nessa canção, ele fala sobre como gostaria de ser um homem cujas pessoas escreverão a respeito, e lerão sobre o que ele fez, mesmo mil anos após sua morte. Para mim, essa seria uma grande recompensa: viver uma vida tão plena que as pessoas ainda lerão sobre você após mil anos. Mesmo assim, não acho que a recompensa seja esse reconhecimento: em vez disso, a recompensa é perceber que você recebeu uma dádiva que pode ser usada para abençoar e inspirar as pessoas, de modo a ajudá-las a viver a vida da forma mais plena que lhes seja possível.

Um especialista em mídia me disse, certa vez, que cerca de 600 milhões de pessoas ao redor de todo o mundo já nos ouviram. Esse valor é o dobro da população dos Estados Unidos. Entretanto, mesmo que tenhamos recebido uma oportunidade incrível de inspirar muita gente, as duas pessoas que eu mais quero inspirar são meus próprios filhos. Mal posso esperar pelo dia em que eles possam ler este livro e entender tudo pelo que sua mãe e eu passamos. Acredito que compartilhar as experiências da vida, e aprender com elas, cria um forte alicerce familiar.

Certa vez, meu pai me disse: "Devolva tudo aquilo que lhe foi dado". Este tem sido meu objetivo, e a maior de todas as bênçãos é poder observar meus filhos se preocuparem com os outros antes de se importarem com seus próprios desejos. Eu vi meu filho defendendo os mais fracos e tendo que aguentar as consequências ao enfrentar outro garoto, um valentão maior do que ele. Eu vi os dois, meu filho e minha filha, darem alguns de seus brinquedos preferidos para crianças que não tinham nada. Os dois continuam a me deixar maravilhado, colocando os outros em primeiro lugar. Conforme meus filhos crescem, continuo rezando para que Krickitt e eu consigamos criá-los da maneira que Deus quer que o façamos. Percebemos que uma das melhores coisas que podemos fazer por eles é sermos bons exemplos. Conseguimos sempre? Não. Eu sei que há várias coisas em mim que precisam mudar. Sim, falhei com meu juramento de que sempre respeitaria Krickitt. Eu ainda grito com ela de tempos em tempos e me sinto horrível por isso. Mas eu sei que as minhas convicções continuarão a me lembrar dos aspectos que precisam ser melhorados. Nossa família vive conforme três preceitos. O primeiro é de sempre "fazer o que é certo". Se você vier até um dos meus filhos na rua e disser "Lembre-se", eles responderão com "de fazer o que é certo". Nosso segundo preceito é: "é importante se esforçar ao máximo". Nós aprendemos que a vida é um bem precioso, e assim precisamos

sempre agir com o máximo de presteza e esforço. E o terceiro preceito é: "tenho dificuldades, mas, juntos, nós as vencemos". Pense neste preceito por um momento. Existem habilidades, ou campos do conhecimento, em que somos bons, e outros em que não somos tão bons. Mesmo assim, juntos, nós ajudamos cada um a superar suas dificuldades. Quando trabalhamos juntos e complementamos as habilidades uns dos outros, podemos realizar nossos sonhos de mãos dadas. E acredito que, conforme a nossa família vivencia esses três princípios, nós podemos dar aos outros aquilo que nos foi dado.

Sabemos que "Há maior felicidade em dar do que em receber" (Atos, 20:35). Eu acredito nisso com todo o meu coração. Mas também acredito que, para realmente poder dar, é preciso saber qual é o verdadeiro significado de receber. Quando a tragédia o atinge, assim como aconteceu conosco, não se isole do mundo. Em vez disso, aproxime-se de seus amigos e família. Aí você saberá o que significa receber; e, como resultado, você saberá como dar ao próximo.

Não pensei que fosse possível, mas hoje posso dizer que amo Krickitt mais do que a amava no dia do nosso primeiro casamento. Ela é uma mulher absolutamente fantástica. É difícil imaginar quanta fé foi necessária para que ela, finalmente, acreditasse quando as pessoas lhe diziam que ela era casada comigo. "Deus quis que eu me casasse com essa pessoa", dizia ela. "Todos dizem que eu me casei com ele, e, certo dia, ao olhar-me no espelho, eu me convenci de que aquilo era verdade."

Krickitt e eu recebemos uma segunda oportunidade de ter uma vida juntos, e nenhum de nós, jamais, irá menosprezar ou subestimar nosso casamento. Tivemos duas cerimônias de casamento e usamos as duas alianças que trocamos em cada uma, e também celebramos dois aniversários de casamento todos os anos. Essas datas marcam novos começos para nós. Não ficamos relembrando os tempos difíceis, mas olhamos em frente, na expectativa das coisas maravilhosas que o futuro ainda guarda para nós. Krickitt nunca se lembrará da época em que nos apaixonamos, do nosso namoro ou do primeiro casamento. Mas ela diz que o que sentiu ao se vestir como noiva pela segunda vez foi um amor mais profundo do que a maioria das esposas consegue vivenciar durante uma vida inteira. Nossas experiências únicas, por piores que fossem na época em que aconteceram, forjaram um elo mais forte entre nós do que seria possível caso as coisas ocorressem de maneira diferente.

Acho que nossa história se manteve viva todo esse tempo porque é um relato de esperança, do tipo que está sempre em falta no mundo, e pelo qual sempre há uma forte demanda. Seria muito fácil, para qualquer um de nós, desistir durante aqueles anos longos e sombrios, durante e depois do acidente, mas isso não aconteceu. Não sou nenhum herói. Cometi erros, assim como qualquer pessoa, e eu não seria quem eu sou hoje sem a minha fé e a confiança em Deus. Essa história não é sobre mim, e também não é sobre Krickitt. É sobre a fé, e como ela nos guiou desde uma época terrível até uma vida que é melhor do que jamais poderíamos ter imaginado. É sobre o comprometimento.

Mesmo chegando ao fim deste livro, nossas vidas continuarão a seguir seu rumo. Quando você fechar este livro, quero que se lembre de que, durante a vida, você vai enfrentar momentos muito difíceis, mas é possível encontrar a força que precisa em Deus. Se está faltando alguma coisa em sua vida, peça. Você será atendido. Comprometa-se, e todos os compromissos assumidos serão duradouros. Para sempre.